Amei, perdi, fiz espaguete

GIULIA MELUCCI

Amei, perdi, fiz espaguete

Tradução de
Ana Maria Mandim

EDITORA RECORD
RIO DE JANEIRO • SÃO PAULO
2010

CIP-BRASIL. CATALOGAÇÃO NA FONTE
SINDICATO NACIONAL DOS EDITORES DE LIVROS, RJ.

M486a Melucci, Giulia
Amei, perdi, fiz espaguete / Giulia Melucci ; tradução de Ana Maria Mandim. – Rio de Janeiro : Record, 2010.

Tradução de: I loved, I lost, I made spaghetti
ISBN 978-85-01-09034-8

1. Melucci, Giulia. 2. Relação homem – mulher. 3. Culinária italiana. I. Título.

10-4751 CDD: 306.7
CDU: 392.6

Texto revisado segundo o novo Acordo Ortográfico da Língua Portuguesa.

Título original em inglês:
I LOVED, I LOST, I MADE SPAGHETTI

Diagramação: editoriarte

Impresso no Brasil

ISBN 978-85-01-09034-8
Seja um leitor preferencial Record.
Cadastre-se e receba informações sobre nossos lançamentos e nossas promoções.

Atendimento e venda direta ao leitor:
mdireto@record.com.br ou (21) 2585-2002

EDITORA AFILIADA

Para minha mãe,
que me ensinou a cozinhar e a amar

Nota da autora

A maior parte dos nomes e alguns detalhes pessoais foram alterados a fim de proteger pessoas inocentes e outras nem tanto.

Sumário

Entrada, 11

Kit Fraser preferia um drinque, 13

Meu pai, 51

Café da manhã Vitória, 61

A escola de culinária Ethan Binder, 71

Mitch Smith lambia o prato, 123

Marcus Caldwell comia e corria, 173

De *Sex and the City* a freira, 207

Jantares de solteira, 219

Lachlan Martyn era apaixonado... por comida, 231

Baci e abbraci a..., 311

Índice de receitas, 315

Entrada

Sempre que estou de namorado novo, simplesmente não consigo me controlar. Não adiantam os inúmeros conselhos de "vá devagar, deixe que ele a conquiste, não entregue os pontos tão rapidamente" dados pelas amigas, não consigo resistir — tenho de cozinhar para ele.

Namorado novo para mim é uma oportunidade fascinante de exibir aquilo em que tenho mais confiança a meu respeito: minha comida. Avalio as inclinações gastronômicas do homem em questão à primeira vista, e minhas suposições em geral estão corretas. Já fiz todo tipo de comida, de simples massas a cozidos demorados e suculentos, assados maravilhosamente temperados, acompanhados de batatas perfeitamente coradas, e vegetais crocantes, de cores vivas. Fiz bolos de chocolate, de queijo e recheados de frutas da estação. E namorei todo tipo de homem: artista, advogado, banqueiro e escritor, gentis e indelicados, prontos para se entregar e tão interessados em compromisso quanto eu em comer em um dos restaurantes Olive Garden.

Em cada um dos meus relacionamentos, aprimorei minhas habilidades e desenvolvi meu próprio estilo e confiança na cozinha. Todos os homens que passaram pela minha vida foram inspirações culinárias, e, se não entendi nada sobre o amor, pelo menos aprendi a cozinhar com a maior simplicidade, liberando o máximo de sabor, porque, quando se ama, se quer tempo para outras coisas além de comer. Mas considero a boa comida o melhor complemento para os muitos prazeres que o amor oferece. E também pode ser o maior alívio para as dores que ele às vezes causa. Não estou falando em remédios óbvios como meio litro de sorvete! Esse nunca foi o meu estilo. Não, o melhor bálsamo para um coração partido é comida reconfortante que se faz na própria cozinha (melhor ainda, comida feita por um amigo querido; sorte a minha ter tantos amigos que cozinham muito bem). Comida que diz ao seu coração e a sua mente que você está se cuidando, ao menos por enquanto, até que venha o próximo homem, como sempre vem, e você volte, feliz, a cozinhar para dois.

Kit Fraser preferia um drinque

Comecei tarde essa coisa de namorar.

Kit Fraser foi meu primeiro namorado de verdade. Entrou em minha vida em janeiro de 1990, um dia depois de eu me mudar para o meu primeiro apartamento em Nova York: uma sublocação no East Village, que dividia com Jennifer Warren, grande amiga da faculdade. Nos primeiros 18 meses depois da minha formatura, vivi com minha mãe na casa em que cresci, no Brooklyn. Não era exatamente o meu ideal de moradia pós-formatura, mas a transição para um lugar só meu foi adiada pela morte de meu pai, quando eu estava terminando a faculdade. Eu relutava em deixar minha mãe sozinha naquela casa grande de estuque cinza, mas também estava de saco cheio de os meus dois irmãos usarem o porão para ensaios da banda enquanto as namoradas ficavam sentadas na cozinha e se serviam dos mantimentos como se fossem donas da casa. Era barulhento e constrangedor. Eu tinha de sair.

Naquela segunda-feira de manhã, Lucy, minha chefe na revista *Spy*, a lendária publicação mensal na qual eu era pesquisadora de imagens, me disse:

— Agora que você tem um apartamento novo, provavelmente conseguirá um namorado novo.

"Que namorado novo?", pensei. Nunca existira nenhum. Bem, pelo menos não por um período significativo.

Até então, o único que eu poderia honestamente chamar de namorado era Steve Sullivan, um rapaz do bairro quatro anos mais velho que eu, que namorei durante quatro semanas por volta do meu 16º aniversário. Lembro-me disso porque, para comemorar, Steve me levou em um encontro de verdade, a um restaurante de adultos e me deu de presente uma pulseira de contas de jade. Ele usava paletó e gravata — e eu, um vestido da Bergdorf Goodman. Naqueles dias, minha mãe usava sem cerimônias seu estoque de cartões de crédito de lojas de departamentos, mandando-me regularmente "à cidade", como dizíamos, para compras e cortes de cabelo na Bergdorf's, a quintessência da elegância. Também levava comigo um bilhete com a letra dela dizendo que eu tinha permissão para usar o cartão — só para o caso de alguém me perguntar (o que nunca aconteceu).

Eu me considerava então uma roqueira *punk*, e o vestido era um Bergdorf Goodman *punk*: a parte de cima era de malha azul-turquesa, cortada irregularmente no pescoço e nas mangas, enquanto a parte de baixo era de algodão branco, costurado e pintado à mão. Achei que esse era o nível exato de sofisticação para Steve, que estava na faculdade, mas vivia na casa dos pais e gostava de sair com os amigos de sua irmã Lizzie, entre os quais eu me incluía, ainda que marginalmente.

Cresci em Bay Ridge, um bairro que — tragicamente — é mais conhecido por ser o cenário de *Os embalos de sábado à noite*, um filme que fez tanto pelos ítalo-americanos quanto a família Gotti. Embora o filme pudesse conter algumas verdades, nós gostávamos de acreditar que eram verdades do bairro Bensonhurst. No bairro que conheci havia tanto famílias irlandesas quanto italianas. Meus amigos tinham problemas reais: pais divorciados, alcoólatras ou as duas coisas; irmãos viciados em drogas. Mas não iam à discoteca para ter a sensação de estar acima dos problemas; em vez disso, faziam piadas. Todas as vezes que um homem com aparência de sem-teto aparecia na rua, minha melhor amiga no colegial, Denise O'Dea, choramingava pateticamente:

— Papaaaaaai! Papaaaaaai, volte para caaaaaaasa!

Até hoje acho graça nisso.

Denise e eu íamos à casa dos Sullivan todo dia depois da aula. Lizzie vivia rodeada por um bando de adoradores, ex-colegas de classe da Our Lady of Angels, escola paroquial que ficava do outro lado da rua, em frente à casa dela. Eu era meio fascinada pelas garotas que frequentavam essa escola, pois elas jogavam basquete e assistiam às aulas com os garotos. Minha educação primária na Visitation Academy, escola feminina dirigida por freiras em clausura e situada atrás de grandes paredes de pedra que cercavam um quarteirão inteiro, foi um pouco mais rígida e me deixou sem inclinação alguma para os dribles do basquete.

Mesmo assim, era um grupo divertido com o qual sair, então saíamos. Steve se divertia muito conosco, mas mantinha um ar de superioridade: ia à Universidade Fordham e fazia aulas de balé; discutia com meu pai sobre a guerra nas Malvinas. Depois que atacava a "autodeterminação" britânica (sendo irlandês, era contrário a ela), íamos namorar no banco do piano — o único assento que acomodava duas pessoas —, na varanda fechada da frente da casa da minha família. Enquanto eu ouvia "She's got a way", de Billy Joel, no toca-discos no meu porão, pensava: "É exatamente assim que ele deve se sentir em relação a mim." No entanto, eu não tinha tanta certeza a respeito dele. Tinha pensamentos meio nauseantes sobre Steve quando ele não estava por perto, mas era divertido quando estávamos juntos. Gostava de beijá-lo, mas não tinha interesse em ir além disso.

— Pode me tocar se quiser — ele arrulhou durante uma sessão de namoro.

"Por que eu iria querer fazer uma coisas dessas?", pensei.

Uma noite, no banco do piano, Steve declarou que ia namorar uma garota que sempre chamara sua atenção, Bernadette Corrigan. Ela era alta, jogadora de basquete; o pai era dono de uma companhia de rebocadores, e a família tinha dinheiro. Meu pai era parceiro de golfe do pai de Bernadette e o ajudara a entrar para o clube de campo. (E foi assim que nos agradeceram!) Dois meses depois, Bernadette estava na varanda dos Sullivan exibindo os presentes de aniversário que Steve lhe dera — aquelas bonecas russas que, ao serem abertas, revelam bonecas cada vez menores dentro delas, e a última boneca continha um anel Claddagh (a aliança de casamento irlandesa, embora não estivessem comprometidos). Muitas razões criativas surgiram em minha cabeça para explicar por que não foi tremendamente doloroso para mim assistir àquela cena.

No ano anterior ao que conheci Kit, eu me consultava com uma psicóloga — uma freudiana rigorosa que lembrava a Cher — para entender por que, aos 23 anos, eu nunca tivera um namorado por um tempo razoável e ainda não fizera sexo. Eu era assombrada pela minha falta de experiência e estava convencida de que morreria virgem. Sentia-me distante dos meus amigos (todos sexualmente atrasados, mas não tanto quanto eu), que pareciam ter conhecimento de um segredo cósmico que continuava a ser um mistério para mim. As probabilidades estavam contra mim por razões outras que não simplesmente as minhas neuroses: eu tinha estudado em escolas só para meninas até a faculdade, e depois em Sarah Lawrence, onde a proporção de mulheres para homens era de quatro para um — na verdade, mais oito para um, considerando que a maioria dos "uns" era gay. Todo garoto que quisesse uma namorada na Sarah Lawrence já tinha uma, e até duas. Era a sobrevivência das mais aptas, e eu não era nem fisicamente (era gordinha) nem mentalmente (ficava apavorada) apta o bastante para competir com aquelas herdeiras esguias e boêmias à minha volta.

Sem desejar particularmente isso, continuava a ser a boa garota católica. A única reputação que tive alguma vez foi de ser engraçada. A verdade cruel de que os homens tendem a buscar compromisso em um lugar e diversão em outro me foi revelada no meu 13º verão, quando descobri que Tony Sirianni, meu companheiro constante na piscina do clube de campo, passava as noites no curso de golfe namorando Connie Cambria. Tudo bem, Connie ficava muito melhor que eu de maiô. Na universidade, passei noites incontáveis conversando com caras pelos quais tinha atração, mas as atividades nunca iam além da conversa, ou, o grande aborrecimento, ouvir música. Os lençóis e a minha virgindade estavam sempre imaculados quando nos separávamos tarde da noite. Eu não sabia se estava fazendo algo errado, emitindo alguma vibração ruim, ou entendendo mal algum sinal que me mandavam. Só sei que aquilo me deixava totalmente desnorteada, conclusão a qual podia chegar sem a ajuda de uma psicóloga.

Aquilo tinha ficado para trás agora. Uma nova década começava; minha chefe e eu decidimos chamá-la de "a década do amor". Sua previsão em relação ao meu status romântico mostrou-se estranhamente presciente. Naquela mesma tarde, chegou uma carta de Kit Fraser entregue em mãos. Eu conhecera Kit três anos antes, quando ele apareceu inesperadamente na casa da minha família, numa noite de verão, com Michael Petriano, o irmão de minha amiga mais antiga, Larisa. Ela e a família se mudaram para Nova Jersey depois do primeiro ano do ensino médio, mas, apesar da distância, nossa amizade continuou, com visitas regulares de fim de semana a Nova Jersey ou ao Brooklyn durante todo o ensino médio. Eu gostava de experimentar os atrativos dos subúrbios — os sundaes do Friendly's e a escola pública (com garotos e sem uniformes), aonde ia com Larisa quando tirava um dia de folga para vê-la. Larisa ainda mora em Nova Jersey, e continuamos amigas 35 anos depois.

Michael foi minha primeira paixão. Quando eu tinha 10 anos, costumava acompanhá-lo em seu roteiro de entrega de jornais, levantando às 5h para ficar um tempo sozinha com ele, pedalando a bicicleta de Larisa pela vizinhança. Michael era brilhante e incrivelmente engraçado, e sofria por isso. Teve um colapso nervoso no verão depois que se formou no ensino médio; na semana em que apareceu à minha porta com Kit, resolvera deixar de tomar seus medicamentos e, no meu quarto de dormir, discursou ruidosamente sobre a bomba que construiria para erradicar o mal da Terra e que seria controlada por um grupo selecionado de clérigos e rabinos. Depois, foi tomar banho.

Enquanto Michael estava no chuveiro e minha mãe percorria a casa escondendo os objetos pontiagudos, Kit me observou desempacotar os livros da faculdade que eu acabara de concluir. Falei com ele sobre minha obsessão intelectual na época, Dante, e toquei para ele um disco da Aztec Camera, banda escocesa dos anos 1980. Segundo Kit (eu não me lembro disso), enfiei num fio um monte de contas pequenas feitas de sementes e o amarrei em volta do tornozelo dele. A noite ficou na memória de Kit não apenas por causa do comportamento estranho do nosso amigo em comum, mas por minha causa. A pulseira ficou em seu tornozelo até o fio se partir, e, quando isso aconteceu, ele guardou os pedaços.

Dois anos depois, enquanto esperava o elevador para subir aos escritórios da *Spy* depois do almoço, notei um estudante bonito de óculos de aros finos e um casaco esportivo L.L.Bean que também esperava o elevador. Eu me perguntei aonde ele iria e fiquei ainda mais curiosa quando saltou no mesmo andar que eu. Foi até a recepcionista e perguntou:

— Giulia Melucci está?

— Sou Giulia Melucci — falei.

Kit, que depois disse que se sentira atraído por mim desde o momento em que me conheceu, esquecera como eu era quando veio me procurar. Eu, por minha vez, ignorava que já havia passado algumas horas com o cara que fiquei olhando no elevador. Kit, recém-formado em Georgetown, estava com os Petriano em Nova Jersey até achar um lugar para morar em Nova York. Quando conseguiu trabalho na *Atlantic Monthly Press*, pequena publicação independente cujos editores jovens e rebeldes eram frequentemente alfinetados nas páginas da *Spy*, Larisa lhe disse que o escritório dele era vizinho ao meu. De pé, perto da mesa de recepção, Kit me convidou para ir a uma festa com ele e Michael naquele fim de semana. Eu não podia — nem queria ir. Sabia que Kit estava interessado em mim e, portanto, não queria nada com ele. Mas notei quando não tive mais notícias dele nos meses seguintes. Então, a carta chegou, no dia em que saí da casa de minha mãe, o dia perfeito para uma carta como aquela. "Apartamento novo, namorado novo" — eu estava pronta. Telefonei para ele imediatamente e marcamos um almoço naquela quinta-feira.

Estranhamente, um clima primaveril dominou a cidade de Nova York naquele mês de janeiro, então Kit e eu compramos o almoço pronto num restaurante da rua e comemos num banco do Union Square Park, de frente para os escritórios onde trabalhávamos. Kit quase não tocou no sanduíche de baguete com peru defumado e queijo *brie* porque falava demais. Quando lembrou a faculdade, falou de cachimbos de fumar maconha feitos de maçãs, o que me deu um pouco de nojo — meus breves dias de uso de drogas haviam ficado para trás. Isso era incongruente: Kit parecia o jovem cavalheiro recém-formado em todos os outros aspectos, de seus sapatos Church ingleses feitos à mão à cigarreira antiquada. Tive bastante tempo para estudá-lo. Terminei minha sopa de ervilha, o pãozinho e o cookie, e lá estava ele com a maior parte do almoço ainda a sua frente. Fiquei inquieta, sentada ali, ouvindo-o falar sem parar, sem nada para comer. (Quando falo e como ao mesmo tempo, nenhuma dessas atividades é negligenciada.) Fiquei imensamente aliviada quando Kit puxou um cigarro — finalmente, algo para fazer com meus dedos impacientes. Também me agradou que o homem que seria meu namorado fosse fumante — especialmente se comia tão devagar. Kit me levou até o saguão do meu prédio, onde me disse que ligasse para ele.

— *Você* liga para *mim* — falei.

Ele ligou e marcamos para sair à noite na semana seguinte. Kit me pediu que o encontrasse no escritório dele; de lá fomos tomar drinques na Cedar Tavern, que ficava ali perto.

Kit não apenas parecia nervoso quando fui buscá-lo, como também usava calças jeans horríveis. Não eram tão imperdoáveis quanto os jeans desbotados do fim dos anos 1980, mas eram de um azul-acinzentado, ou seja, quase tão ruins quanto aqueles. Isso não fazia sentido, pois Kit exibira um apurado senso de elegância em nossos encontros anteriores. O fato de Kit gostar de mim tão obviamente o deixava vulnerável, e aqueles jeans não ajudavam. Mas àquela altura eu queria tanto uma relação que me forcei a ser superior a isso. Kit era um homem bom, amável e delicado. Era inegavelmente bonito, tinha uma excelente compleição, lábios bonitos e sobrancelhas densas com alguns fios louros. Era inteligente e parecia sê-lo com aqueles óculos de aros finos. Os jeans acinzentados que se danassem!

A gafe na elegância foi redimida pela habilidade de Kit em falar dos pintores expressionistas abstratos que fizeram da

Cedar Tavern um dos bares favoritos nos anos 1950. Eu estudara história da arte na faculdade e tinha a intenção de fazer uma especialização nessa disciplina, mas não me preocupei em estudar para o exame; nas duas manhãs em que estava agendada para o exame de admissão na pós-graduação, optei por ficar na cama. Não foi uma decisão (ou uma ausência de) ruim; eu gostava do ritmo da vida no escritório e do cheque de pagamento pontual, não importava se digno de pena. (Ganhava 12 mil dólares por ano na época.) Trabalhava num dos lugares mais legais da mídia nova-iorquina, o que compensava em muito os salários deploráveis — um fato de que meus empregadores estavam bem cientes. Mesmo assim, fiquei deliciada por Kit trazer de volta para o meu dia a dia um pouco das minhas inclinações na faculdade, agora reprimidas; e as tiradas dele sobre as telas de Mark Rothko e Franz Kline eram inegavelmente encantadoras.

Enquanto Kit e eu conversávamos, descobrimos que tínhamos algo ainda mais importante em comum: nossos pais haviam morrido, o de Kit pouco antes de sua formatura no ensino médio, e o meu pouco antes de minha formatura na faculdade. Quando se perde um parente e se é muito jovem, existe uma solidariedade instantânea com outros que tiveram a mesma experiência. Não há como descrever esse tipo de dor para alguém que não passou por isso. Não se descreve nem para si mesmo. Esse era outro motivo pelo qual eu estava indo à psicóloga.

Kit me cumprimentou por eu não dar muita importância ao fato de ele ser de Dakota do Norte, ao contrário do que as pessoas geralmente faziam. Não que eu fosse cosmopolita demais; ele apenas disse isso por eu ser do Brooklyn e ter passado a maior parte de minha vida em Nova York. Dakota do Norte para mim não era diferente de, digamos, Ohio — era apenas outro lugar que não Nova York. Kit sabia caçar e pescar, e seu pai fora taxidermista. Caçula de quatro irmãos, Kit foi o único da família a se aventurar para o leste. Referências a drogas continuavam a surgir na conversa de Kit — havia suas próprias histórias de jogar golfe à noite depois de comer cogumelos, ou desvios mais históricos para a inclinação de Oscar Wilde pelo absinto. Ele parecia obcecado por Rimbaud, o que achei romântico e, na medida em que soube mais, preocupante.

Eu prometera parar com as drogas para sempre, depois do que resultou ser um "fim de semana perdido", passado numa casa elegante em East Hampton com um grupo de ingleses amigos de um amigo da *Spy*. No meio de almofadas de algodão brilhante estampadas de rosas, comemos cogumelos de mais, extremamente ansiosos para que os efeitos começassem. Sucumbi a um inferno existencial que culminou com um péssimo discurso melodramático sobre a falta de sentido de tudo. Eu estava perdida em uma floresta escura, de onde nenhum sofá macio poderia me resgatar. Se alguém tivesse gravado meu monólogo, ele teria servido de fonte principal em seminários de prevenção a drogas.

Mas a circunstância peculiar de estar num encontro com um cara que, na verdade, queria me impressionar mais que qualquer outra coisa, que animava a conversa com uma abundância de referências ao ópio, me fez querer consumir alguma droga. Pronta para levar a noite adiante, perguntei a Kit se havia alguma em seu apartamento. Lamentavelmente, tudo que tinha a oferecer era rapé — tabaco em pó que se cheira como cocaína. Era um anacronismo, de alguma forma parte da persona aristocrática americana que Kit adotara para compensar as raízes rurais. Fingi que sempre quisera experimentar rapé. A caminho do apartamento de Kit, pegamos batatas fritas Pringles (minha escolha, um sabor da infância que ficou) e Coca-Cola para o jantar.

Ainda não vi um apartamento tão austero quanto o de Kit. Havia um aposento pequeno sem janela que era banheiro, cozinha, sala de estar e escritório — todos em um. À esquerda havia um quarto maior com uma janela que parecia dar para alguma coisa além de tijolos, mas ficava fora de alcance porque estava atulhado de coisas do cara que sublocava o apartamento para Kit. Havia um quarto de dormir minúsculo, não muito maior que o tamanho de uma cama de casal, com uma janela que dava para um canal de ventilação onde pombos se juntavam e grasnavam.

Kit se esforçara para alegrar o lugar. Nas paredes havia uma interessante decoração informal — um bumerangue, uma página rasgada de um anúncio dos anos 1920 que mostrava um homem mais velho e um mais novo de bicicleta: "Pai e filho numa corrida amigável." Experimentei o rapé e, mais tarde, naquela noite, algumas outras coisas que não havia experimentado antes.

"Meu travesseiro tem o seu perfume", dizia o bilhete escrito à mão que chegou no dia seguinte. Ninguém nunca tinha escrito palavras tão românticas para mim antes. Eu me perguntei se haveria algo de errado em Kit. Ele parecia genuinamente impressionado comigo, e aquele tipo de coisa simplesmente não acontecia. Posso contar nos dedos de uma mão o número de vezes que deixei de fazer uma refeição, mas durante diversos dias depois daquele encontro não comi quase nada. No dia seguinte, comendo sem muita vontade uma salada, num almoço de emergência de análise de namoro com minha colega de quarto, Jen, tentei descrever Kit. Àquela altura eu estava em modo de total autossabotagem e distorcia completamente minha lembrança dos atributos físicos dele. Olhei para o cara mais esquisito do restaurante e apontei:

— Kit é parecido com ele — disse.

— Não, não é — retorquiu Jen, que me conhecia bem.

— Está bem, talvez não tão feio assim, mas parecido.

Se meus próprios olhos não eram confiáveis, outros acontecimentos poderiam me dar uma dica de que Kit era inesquecível. Aparentemente, toda mulher que o havia conhecido continuava ligada a ele. Quando comecei a ficar em seu apartamento, não havia uma só noite em que não houvesse um telefonema de sua namorada na faculdade. (Eles ainda estavam namorando, ao menos era o que ela supunha, mas essa é uma história para o livro dela.) Até uma velha paixão do ensino médio em Dakota do Norte telefonava no meio da noite toda semana.

Apesar de minhas preocupações, nos tornamos um casal. Kit, de sua parte, nada fazia para exacerbá-las. Ele não deixava dúvida de que levava nosso caso a sério. Sempre ligava quando prometia. Carregava minha bolsa se ela estava pesada, sempre que caminhávamos para algum lugar. Ficava feliz em fazer a viagem de uma hora de trem até a casa de minha mãe em Bay Ridge, mesmo que fosse para ficar apenas uma hora, até em um sábado à noite. No início, os únicos problemas eram os meus. Esse primeiro contato com o amor e o sexo era tão assustador para mim que inventei problemas para dar consistência aos medos que não podia entender. No primeiro mês, me convenci de que estava grávida, mesmo sendo hipervigilante no controle da natalidade e os riscos serem mínimos. Depois decidi que Kit era gay quando perdi ele e seu amigo Matt de vista numa festa. Eu não tinha nem a sensatez de guardar as angústias só para mim. Eu as contava para Kit, que aguentava minhas neuroses como um santo.

Um novo mundo, menos povoado por conflitos, se abriu para mim nessa época. Esse novo mundo existia na cozinha de meu novo apartamento, onde fogão e forno próprios trouxeram um desconhecido desejo de cozinhar. A cozinha à qual eu recentemente dera adeus era domínio particular da minha mãe, aromatizada nos domingos de manhã pela carne frita para o tradicional ragu de domingo. Lembro que, quando criança, eu comia almôndegas recém-cozidas, perfeitamente temperadas — com pedacinhos de salsa verde brilhante aparecendo na carne suculenta e melhores do que as que eu como hoje em dia, com o molho pronto. Para o jantar durante a semana, ela preparava cozido de cordeiro com alcachofras pequenas e grãos de ervilha; filé de linguado coberto de farinha de rosca fresca; ou simplesmente — mas não menos delicioso — rosbife com molho de carne e purê de batata.

Minha mãe, Janet, era da primeira geração de ítalo-americanos nascidos no Brooklyn; meu pai, Nicola, viera do sul da Itália para os Estados Unidos exercer a medicina. Eles se estabeleceram no Brooklyn e tiveram cinco filhos: três meninas e dois meninos, dos quais sou a caçula. A despeito dos clichês sobre o exagero emocional dos italianos, meus pais não distribuíam abraços e declarações de amor aos filhos. Por outro lado, se estivessem zangados conosco, deixavam isso bem claro. Papai trabalhava muito, e mamãe nos alimentava bem; estas eram as principais vias pelas quais seu amor por nós e o compromisso com nosso bem-estar nos alcançavam. Quando meu pai não estava atendendo pacientes até tarde da noite, a regra eram jantares elaborados de três pratos. Na mesa redonda de nossa cozinha, coberta com uma toalha de tecido brilhante e estampado e guardanapos que combinavam, sempre começávamos com um prato de massa, seguido de carne ou peixe e verduras. Minha mãe é siciliana, então para ela uma refeição nunca está completa sem algo doce. Ela perseverava em sua caça às melhores sobremesas e atravessaria qualquer distância se ouvisse sobre uma boa confeitaria escondida em algum lugar em torno de Nova York. Se não voltasse logo de uma dessas expedições, fazia rapidamente alguma coisa: pudim de coco, bolo de chocolate feito numa forma decorativa ou bolinhos recheados com ricota cobertos de açúcar.

Um lar, para mim, sempre foi sinônimo de comida na geladeira. Eu e Jen, minha colega de quarto, estávamos de pleno acordo em relação a isso. Jen, que é judia e cresceu em Westchester, gosta tanto de comer quanto eu (na verdade, eu não seria amiga de ninguém que não gostasse) e pôde certificar os talentos de minha mãe. Ela ainda fala com entusiasmo inesgotável dos muitos fins de semana que passou em minha casa quando estávamos na faculdade, época em que meu pai ainda era vivo e minha mãe fazia refeições fenomenais. Se acaso perdêssemos o jantar porque havíamos saído à noite para beber ou dançar em algum clube de Manhattan, sabíamos que, quando voltássemos, as sobras estariam escondidas na geladeira à nossa espera. Eu não conhecia nenhuma outra família que comesse como a nossa. Chegamos uma noite e encontramos meu irmão Nick e seu amigo John já bem avançados na corrida.

— O que estão comendo? — perguntei, um pouco preocupada com que não sobrasse nada para nós.

— Estou acabando com o peixe-espada, e Nick está comendo o *cheesecake* de chocolate — disse John, a voz maravilhada.

Ele parecia ter descoberto ouro — eu sabia que era exatamente o que se poderia encontrar em nossa casa em qualquer noite.

Na primeira noite em nosso apartamento, depois que arrumamos nossas coisas, Jen e eu saímos e fizemos compras numa delicatéssen muito cara que havia na rua. Quando voltamos, deixei cair uma bolsa com uma garrafa de azeite de oliva extravirgem, um luxo com que mal podíamos arcar. O vidro se espatifou, e o azeite se espalhou em todo o chão da cozinha. Jen agarrou um esfregão; telefonei imediatamente para minha mãe porque sabia que ela seria solidária nessa tragédia. Foi o primeiro dos muitos telefonemas que dei para minha mãe para anunciar um infortúnio culinário. Ao longo dos anos, segui seu conselho de substituir farinha com levedura por farinha de trigo branca (a solução está escrita no pacote); perguntei-lhe como salvar nhoques feitos em casa que tirei da água cedo demais (não podem ser salvos) e o que fazer se o rosbife precisa de mais uma hora e meus convidados já estão sentados há uma hora comendo azeitonas e queijos (continuar a servir drinques). Minha mãe também receberia mais que apenas alguns telefonemas sobre meus fracassos românticos, mas tem respostas menos claras para estes.

Se minha mãe não me transmitiu a sabedoria dos jogos do amor, ao menos me mandou para o mundo com um conhecimento claro de como se faz um simples molho de tomate. Nos primeiros dias de nosso relacionamento, fiz para Kit as comidas que vi minha mãe preparar incontáveis vezes. Penne com molho de tomate e manjericão era um típico primeiro prato de um jantar da família Melucci num dia de semana; minha mãe sempre escondia algumas rodelas de berinjela frita no fundo de cada prato como uma surpresa saborosa. A massa era seguida de bife à milanesa ou fatias de frango fritas em azeite de oliva e manteiga, acompanhadas de fatias de limão; havia sempre uma salada de alface romana guarnecida com fatias de cebola roxa e pedaços de laranja. E esta foi a primeira refeição que fiz sozinha e dividi com Kit.

Berinjela frita

1 berinjela (de preferência do tipo italiano pequeno se conseguir encontrar)
2 colheres de sopa de azeite de oliva
Sal

Fatie a berinjela em rodelas de cerca de 0,5cm de espessura.

Aqueça o azeite numa frigideira, coloque dentro dela as rodelas que couberem sem apertar e frite até ficarem ligeiramente amarronzadas dos dois lados. Você poderá ter de acrescentar azeite de oliva se a frigideira secar, pois a berinjela absorve muito azeite. Ponha as rodelas num prato forrado com duas folhas de papel absorvente. Salpique o sal.

Rendimento: suficiente para dois e ainda sobra.

Molho de tomate simples e massa para dois

1 xícara de tomates do tipo italiano inteiros (precisa ser inteiro e do tipo italiano, embora eu confesse que, às vezes, quando estou com preguiça, compre aqueles que já vêm picados; não conte à minha mãe)
1 colher de sopa de azeite de oliva e um pouco mais para o acabamento
1 dente de alho picado (ou 2 colheres de sopa de cebola bem picadinha)
1 pitada de pimenta calabresa (opcional aqui e em todas as receitas subsequentes; gosto de usar sempre que possível)
Folhas de manjericão
1 colher de chá de açúcar
¼ de xícara de vinho tinto
½ colher de chá de sal
220 gramas de penne, ou da massa à sua escolha
Parmesão, pecorino ou qualquer outro queijo que possa ser ralado na hora para polvilhar a massa

Passe os tomates num processador ou amasse-os com um misturador (eu faço o último), pique-os ou simplesmente abra-os com as mãos. Aqueça o azeite numa frigideira em fogo médio, acrescente o alho (ou as cebolas), a pimenta calabresa e um molho inteiro de manjericão. Diminua o fogo (você não vai querer que o manjericão fique marrom) e frite até o alho ou a cebola dourar, de 2 a 3 minutos. Junte os tomates e aumente o fogo novamente para médio; quando o molho começar a ferver, junte o açúcar, o vinho e o sal. Depois de 5 minutos, prove para ver se precisa de mais sal; se estiver ácido, acrescente uma ou duas pitadas de açúcar. Ponha em fogo baixo e experimente após 15 minutos. Quando todos os sabores estiverem bem misturados, está pronto.

Ponha uma panela grande de água, com tampa, em fogo alto. Quando a água estiver em vigorosa ebulição, junte uma porção generosa de sal (água salgada é essencial para uma massa saborosa, ela deve ter o aroma do Mediterrâneo). Junte a massa e espere a água ferver novamente (vai ajudar se você tampar a panela durante esses breves momentos; só não se esqueça de tirar a tampa assim que a água ferver novamente), depois dê umas boas mexidas na panela. Deixe cozinhar, mexendo ocasionalmente até que a massa ainda esteja no ponto para morder, mas não mole demais (de 8 a 12 minutos, dependendo do formato da massa que estiver usando). Você deve provar após 8 minutos para ver se está no ponto. Não dá para dizer o tempo exato no caso da massa; você só poderá saber se provar.

Quando a massa estiver cozida, escorra a água e ponha de volta na panela onde cozinhou. Depois, jogue uma concha do molho, um pouquinho de azeite e algumas folhas de manjericão picadas com as mãos. Forre duas vasilhas com algumas fatias da berinjela que fritou (pode reunir o que sobrou para fazer um sanduíche, talvez com algumas fatias finas de carne, se sobrar alguma, para o almoço de amanhã), depois acrescente a massa e cubra cada prato com uma concha de molho e alguns pedaços de manjericão. Ponha o queijo ralado na mesa.

Rendimento: 2 porções.

Vitela à milanesa

2 ovos, ligeiramente batidos, temperados com
¼ de colher de chá de sal
¾ de xícara de farinha de rosca, temperada com
¼ de colher de chá de sal, pimenta moída na hora, e uma colher de sopa de salsinha picada
450 gramas de fatias finas de carne de vitela (ou galinha, dependendo do seu estado de espírito, da política ou do bolso)
2 colheres de sopa de azeite de oliva
1 colher de sopa de manteiga
1 limão

Ponha os ovos numa vasilha grande e espalhe a farinha de rosca em um prato. Passe ambos os lados das fatias de carne no ovo e depois na farinha. Aqueça o azeite de oliva e a manteiga numa frigideira em fogo médio/alto, coloque as fatias e frite-as até que os dois lados alcancem um tom castanho (cerca de 4 minutos de cada lado, dependendo da espessura da fatia). Você provavelmente precisará fazer isso em dois lotes; ponha um pouco mais de azeite e manteiga na frigideira, se necessário. Coloque as fatias num prato forrado com duas folhas de papel-toalha até estarem prontas para servir. Sirva com fatias de limão para espremer por cima.

Rendimento: 2 porções.

Salada de alface romana com laranjas e cebola roxa

1 pé de alface romana
½ cebola roxa pequena, fatiada fina e cortada em tiras de 2,5cm
2 laranjas bahia
2 colheres de sopa de azeite de oliva
Pequena quantidade de vinagre de vinho tinto
Sal e pimenta moída na hora a gosto

Lave e seque o pé de alface romana e corte as folhas transversalmente em pedaços de 2,5cm. Ponha a alface numa vasilha com espaço suficiente para misturar com os outros ingredientes e acrescente a cebola. Remova os cabos das laranjas e depois a casca com uma faca serrilhada. Corte em fatias de 0,5cm de espessura e depois em quadrados, removendo todas as sementes e a pele branca mais visível. Junte a laranja à alface, misture e ponha azeite de oliva, vinagre, sal e pimenta moída na hora.

Rendimento: 4 porções.

Comíamos sentados no chão, nossos pratos empoleirados num pufe otomano quadrado que viera da casa da minha família. Estávamos economizando para comprar uma mesa, mas, com as prioridades sempre se ajustando, abri mão de 3 dólares por uma garrafa de Concha y Toro, comprada na loja de bebidas local, onde o caixa e a mercadoria ficam atrás de um vidro à prova de bala e você precisa apontar para a mercadoria que deseja comprar. A garrafa de Concha y Toro estava no centro, à nossa frente — o que foi ótimo, pois não seria nada agradável gesticular por horas para obter uma garrafa de vinho de meros 3 dólares. Seu gosto era bom o bastante para os nossos paladares subdesenvolvidos, um belo complemento para aquela comida descomplicada.

Kit costumava dizer que tínhamos uma "vida encantada" porque, embora mal pudéssemos pagar o aluguel de nossos apartamentos, nossos empregos nos expunham a um tipo de glamour que não combinava com nossas contas bancárias. Uma noite, fomos a uma festa de lançamento de um livro na casa de um famoso jornalista da TV. Em seu luxuoso apartamento no Central Park, num andar alto, sorvemos champanhe e mordiscamos canapés servidos em bandejas de prata. Havia salmão em torradas, aspargos enrolados em presunto, pasteizinhos de queijo *gruyère* e camarões tempura, mas, como sempre acontece nessas festas sofisticadas, não havia comida suficiente. Duas horas depois estávamos no metrô, ainda famintos, com 5 dólares que juntamos para comprar o jantar. Compramos uma caixa de espaguete na loja da esquina e torcemos para que ainda houvesse alguma manteiga na geladeira de Kit. Melhor que isso, achamos quatro tiras de bacon e três ovos — todos os ingredientes de um simples carbonara. Comecei a trabalhar no pequeno fogão de Kit, e a massa se tornou um substancial antídoto para aqueles pequenos petiscos preciosos. Ainda ficou um pouco para o dia seguinte — e um dólar até o dia do pagamento, ainda a uma semana de distância.

Espaguete à *carbonara*

Três fatias de bacon cortadas em pedaços de 1,5cm
345 gramas de espaguete
3 ovos
¼ de xícara de pecorino ralado na hora, mais um pouquinho para servir à mesa
¼ de xícara de parmesão ralado na hora, mais um pouquinho para servir à mesa
Sal
Pimenta moída na hora

Frite o bacon até que esteja quase crocante, depois deixe a gordura ser absorvida num prato forrado por papel-toalha.

Cozinhe a massa de acordo com as instruções na página 31. Enquanto isso, numa vasilha refratária grande ou pirex, bata levemente os ovos e junte os queijos.

Quando a massa estiver pronta, escorra num escorredor e ponha-a no prato com os ovos e o queijo. Misture a massa com os ovos e o queijo — os ovos não precisam ficar completamente cozidos, gosto da cremosidade do ovo não cozido, mas se você não gosta da ideia, jogue tudo numa frigideira em fogo baixo e deixe cozinhar um pouco —, depois acrescente o bacon. Prove e acrescente sal, se necessário, e um pouco de pimenta moída.

Divida a massa em pratos quentes.

Dá para dois e sobra.

Eu ficava feliz toda vez que algo que eu cozinhava dava certo; isso parecia acontecer com muita frequência e, assim, eu ficava feliz em muitos momentos! Descobri um talento que não sabia que tinha. Kit gostava do que eu fazia, mas não ficava tão alegre quanto eu. Meu namorado, um homem de múltiplos interesses, não tinha a comida entre eles. Podia acordar numa manhã com a vontade de aprender tudo sobre Sergei Diaghilev e os balés russos; no dia seguinte, podiam ser as colagens Merz de Kurt Schwitters. Eu aprendia muita coisa por tabela com suas obsessões, que sempre mudavam, mas desanimei realmente quando ele me contou que, como dizia seu pai, gostaria de tomar apenas uma pílula para se alimentar e ficaria satisfeito. Isso criou uma ruptura entre nós. Eu vivia para comer. Kit preferia ingerir a maior parte de suas calorias pela bebida.

Suspeitei do problema quando cheguei cedo ao apartamento dele uma noite e o encontrei com uma garrafa de cerveja com mais de meio caminho andado e outra no chão. Isso me pareceu uma quantidade enorme de cerveja, mas não disse nada — simplesmente deixei a informação de lado, mas ela aparecia de vez em quando para me preocupar.

Kit conseguiu o emprego de seus sonhos na revista *Rolling Stone* na época em que fui demitida da *Spy* — ele saiu de sua própria festa de despedida e correu ao meu apartamento com sorvete para me alegrar. Embora eu não fizesse muito na *Spy*, estava orgulhosa de ter o meu lugar no expediente da revista. Eu subira de recepcionista (ou "assistente editorial") à pesquisadora de imagem e, depois, à assistente de relações públicas e, embora fosse divertido ligar para as colunas de fofocas e passar notinhas sobre qualquer celebridade que a revista estivesse espicaçando naquele mês, o que eu realmente queria era ser editora. Mas, aos 24 anos, eu me considerava velha demais para mudar de direção. Consegui imediatamente outro emprego na área de relações públicas no lugar onde Kit havia trabalhado, a *Atlantic Monthly Press*. Anton, um dos editores, me chamava de "superlegal", ou, às vezes, só "super" porque quando Kit e eu começamos a namorar, ele perguntou a Kit como era sua namorada, e Kit disse, "superlegal!". Todos ali achavam que Kit e eu éramos adoráveis — mas eu não era adorável o suficiente para não ser demitida novamente quando a *Atlantic* foi vendida, menos de um ano depois de eu começar a trabalhar lá.

As dificuldades econômicas do início dos anos 1990 cobraram seu preço em minha carreira. Enquanto isso, Kit prosperava na *Rolling Stone*, onde tinha entre suas responsabilidades bancar a babá de seu ídolo, Hunter S. Thompson, titular da editoria nacional da revista, quando ele vinha à cidade. Esse trabalho incluía pedir jarras de Bloody Mary para "Rei Gonzo" beber enquanto tomava banho no Hotel Carlyle, ou pegar um suprimento de cocaína com o traficante. Kit estava no paraíso; falava sobre Hunter sem parar, a maioria das vezes para meu profundo tédio. Consegui outro emprego de relações públicas em outra editora, onde meu trabalho consistia em promover autores tão intelectuais quanto Edna O'Brien e tão ignorantes quanto Joan Collins, nenhuma das quais jamais me pediu para buscar drogas — mas uma vez Joan Collins tentou me fazer cancelar uma sessão de autógrafos de seu livro num supermercado porque havia "pessoas gordas" lá.

Na primeira primavera após Kit e eu começarmos a namorar, minha mãe vendeu a casa em Bay Ridge, mudou-se para um apartamento próximo e comprou outra casa no estreito de Long Island em Connecticut — uma casa onde a irmã dela, minha tia Marie, que nunca se casara e vivia em Greenwich, podia morar permanentemente e onde todos nós podíamos nos reunir nos feriados. Na verdade, nunca gostei muito da casa de Connecticut; não se comparava à que tínhamos. Perder aquele lugar completou verdadeiramente a perda de meu pai. Kit estava lá comigo enquanto eu assimilava a visão dos corredores vazios, o parquete coberto do pó de magníficos tapetes antigos que foram levados embora e colocados num depósito. Ele sabia exatamente como eu me sentia e me ajudou a carregar um pouco daquele peso.

Mesmo assim, como nossos apartamentos eram muito deprimentes, Kit e eu passávamos muitos fins de semana em Connecticut. Ele nunca aparecia sem um buquê de flores para minha mãe, que o adorou desde o momento em que, de seu quarto de dormir, ouviu a voz de Kit naquela primeira noite em que ele foi me ver. Ele garantiu definitivamente o afeto de minha mãe mostrando entusiasmo infindável pelo jogo de cartas favorito dela, Posso?.

Kit e eu dirigíamos por todo o condado de Fairfield, explorando.

Um de nossos achados foi uma choupana que funcionava como restaurante, pelo qual até Kit era apaixonado, chamado "Tacos ou o quê?". Era dirigido por um hippie de meia-idade e servido por bonitas adolescentes hippies; o lugar sempre me parecera sem graça, mas os burritos eram bastante saborosos para eu deixar passar. Nunca encontramos a casa em que Scott Fitzgerald (o escritor favorito de Kit) e sua mulher, Zelda, passaram um verão em Compo Road, Westport, embora percorrêssemos aquela rua de carro dúzias de vezes, para cima e para baixo, procurando-a.

Além dos tacos com um molho amarelo especial apimentado que apenas os frequentadores assíduos conheciam ("a morte amarela"), existia outra comida que podia deliciar Kit quase tanto quanto azeitonas em conserva de gim: bacon. Naqueles fins de semana, minha mãe, minha tia e eu nos juntávamos para fazer grandes cafés da manhã. Tia Maria fazia ovos mexidos perfeitos e com a cor certa, e minha mãe assava *muffins* de mirtilo, mergulhados em manteiga derretida e polvilhados de açúcar, uma receita da mãe dela. Kit tomava conta da preparação do bacon, enquanto eu ajudava.

Muffins de mirtilo da vovó

Manteiga mole para untar as formas de *muffin*
1 ¾ de xícara de farinha de trigo com levedura
¼ de xícara de açúcar
¼ de xícara de leite
6 colheres de sopa de manteiga derretida
1 ovo
1 xícara de mirtilos
1 colher de sopa de manteiga (opcional)
¼ de xícara de açúcar (opcional)

Preaqueça o forno a 200 graus. Unte as forminhas.

Misture a farinha e o açúcar, junte os ingredientes líquidos e mexa, depois adicione os mirtilos. Ponha a massa nas forminhas, enchendo ¾ de cada forminha. Asse de 15 a 20 minutos. Esfrie as forminhas numa panela durante 10 minutos, depois transfira para uma grade para esfriar.

Enquanto os *muffins* ainda estão um pouco quentes, derreta uma colher de sopa de manteiga e coloque-a numa molheira. Ponha ¼ de xícara de açúcar em outra molheira. Mergulhe os muffins na manteiga, depois no açúcar. Esse passo é opcional, porém o recomendo enfaticamente.

Rendimento: 9 muffins; a receita pode ser dobrada.

O Lower East Side em que moramos era muito diferente do que é hoje. Para chegar do meu apartamento na avenida A ao de Kit na avenida B, precisávamos atravessar o Tompkins Square Park, que na época era um "acampamento" de sem-teto. Meu quarteirão era ponto de venda de drogas, o que ironicamente o tornava seguro. (Os traficantes zelavam para que não ocorressem assaltos ali, mantendo assim a atenção da polícia longe do território deles.) O quarteirão de Kit era tão afastado que até os traficantes ficavam longe; ele foi assaltado algumas vezes. Um dia, quando estávamos no metrô, reclamando de nossas moradias, sugeri, subitamente, que encontrássemos um lugar para viver juntos no Brooklyn. Ele concordou com uma ansiedade instantânea e efusiva. Com Kit, os grandes passos eram fáceis. Começamos a procurar nosso apartamento.

— Quero viver aqui com você. Quero fazer ensopados para você — disse Kit com a voz mais adorável enquanto dirigíamos em Boerum Hill, nas vizinhanças de Brooklyn, onde esperávamos encontrar um apartamento para alugar. Ele estava um pouco bêbado. A única vez que cozinhou para mim foi depois da primeira noite em que dormimos na casa dele. Naquela manhã, fritou bacon e fez ovos mexidos na gordura que sobrou. Limpei meu prato, depois reclamei de como estava cheia e de como me sentia gorda. Quando, mais tarde, lembrei Kit dos ensopados que ele prometera preparar, disse-me que nunca mais cozinharia para mim novamente, porque, na única vez que tentou, eu só fiz reclamar. Não conheço nenhuma mulher que se sentisse diferente depois daqueles ovos, mas eu poderia ter escondido isso melhor. Apesar de tudo, posso ter sido um pouco briguenta nos alvores do nosso amor, mas merecia perdão — e talvez um pouco de ensopado.

Aquela foi provavelmente a única coisa estúpida que Kit me disse, e a disse totalmente sóbrio; Kit era absolutamente adorável quando estava bêbado, o que me deixava confusa sobre a extensão do problema dele. Os alcoólatras não costumam gritar e esbofetear após beber demais? Kit estava longe de ser assim. Ele me dizia que eu era bonita (fazia isso quando não estava bêbado também). Dizia que queria se arrastar até a pequena cicatriz que eu tinha sobre a sobrancelha esquerda e viver lá o resto de sua vida

Em vez disso, nos mudamos para o segundo andar de um edifício de pedra marrom de cem anos num dos quarteirões mais bonitos do Brooklyn. O lugar era positivamente alegre, com grandes janelas com vista para árvores e deixavam entrar muita luz. Tinha duas lareiras de mármore (uma até funcionava), os assoalhos eram de madeira escura, e as paredes conservavam seus entalhes e cornijas. O banheiro era enorme e tinha uma pia com pedestal, uma banheira antiga com pés e lambris de madeira. A única coisa que não era maravilhosa naquele apartamento era a cozinha. Consistia em alguns armários feitos apressadamente, um pequeno fogão elétrico e uma barulhenta geladeira num canto da sala de visitas.

Com pouco dinheiro para gastar, equipamos aquele lamentável espaço com as peças mais baratas da Ikea. Um conjunto de "panelas para acampar" nos deixou com menos 10 dólares, mas tinha tudo de que eu precisava: uma panela grande para cozinhar massa, uma frigideira pequena para fazer molho e duas caçarolas, uma pequena e outra um pouco maior. Um jogo de seis facas num bloco de madeira nos custou 12 dólares. Eu, na verdade, estava cozinhando com brinquedos, mas consegui fazer refeições fantásticas naquele meu fogãozinho. Aprendi que não se precisa de panelas de qualidade especial e diploma de cozinheira para fazer uma comida deliciosa; as únicas coisas verdadeiramente essenciais para a boa cozinha são bons ingredientes e um senso de como usá-los. Isso você adquire ao cozinhar sozinha, observar outros e comer o maior número possível de comidas preparadas das formas mais diversas. Além disso, a única necessidade absoluta é uma fonte de calor e alguma coisa refratária para pôr os ingredientes dentro: nada muito melhor do que os instrumentos que nossos ancestrais usavam em suas cavernas.

Mesmo com apenas 30 centímetros de espaço para trabalhar, viver junto — para mim — significava o sério compromisso de fazer o jantar. Telefonava para Kit toda tarde para conversarmos sobre o que prepararíamos para o jantar. Ele não poderia estar menos interessado nessas discussões. A mãe de Kit, Dolores, encontrava a mesma resistência para conseguir que o filho se importasse com comida. Todo mês mandava para ele uma caixa de *sticky bun** de ruibarbo feito em casa ou cookies com pedacinhos de chocolate. Ele nunca os tocava — então, eu fazia isso, incapaz de suportar que os esforços daquela mulher fossem para o lixo. Kit chegou a Nova York com um espremedor de batata e um caderninho espiral cheio de receitas da mãe escritas numa caligrafia perfeita. Ele gostava quando eu fazia o bolo de carne dela, embora de início eu fosse cética. Os ingredientes que Dolores listou não me alarmaram — minha própria mãe usava pacotes de sopa de cebola pronta em seu bolo de carne —, mas fiquei enjoada com as instruções para cobri-lo de ketchup e mostarda. Tentei eliminar esse passo, mas Kit insistiu para que eu o preparasse exatamente do jeito que "mamãe Fraser" escrevera. Cedi ao pedido, e a mistura resultou numa cobertura espessa que, devo admitir, era um tanto saborosa.

Bolo de carne Dolores Fraser

900 gramas de carne moída
1 envelope de sopa de cebola
¾ de xícara de farinha de rosca
¾ de xícara de água
⅓ de xícara de ketchup
Óleo ou manteiga para untar
2 colheres de sopa de ketchup
2 colheres de sopa de mostarda

* Uma sobremesa de massa levedada preparada com canela e açúcar mascavo. (*N. da E.*)

Preaqueça o forno a 180 graus.

Junte os primeiros cinco ingredientes numa vasilha média e misture bem com as mãos. Dê à massa a forma de um bolo e a cozinhe numa forma de 30cm por 20cm, untada com um pouco de azeite ou manteiga. Cubra com duas colheres de sopa de ketchup misturadas com duas colheres de sopa de mostarda.

Asse durante uma hora. Não se assuste com a cor vermelha do bolo de carne ao retirá-lo do forno: é apenas a cobertura; está pronto.

Suficiente para 4 a 6 porções.

Já segura em cozinhar para dois, estava pronta para aumentar os números. Kit e eu convidamos novos amigos do trabalho e velhos amigos da faculdade para jantar. Embora a nossa mesa expansível da Ikea não chegasse nem perto do mobiliário da sala de jantar da minha mãe, tomei o mesmo cuidado que ela ao pôr a mesa. Eu tinha um de seus muitos conjuntos de talheres de prata, misteriosamente destituído de colheres de sopa — na época, essas colheres não faziam diferença alguma, pois eu ainda não estava pronta para preparar sopas. Havia oito lugares arrumados com louça que minha avó, morta havia muito tempo, ganhara num almoço beneficente de uma obra de caridade que ajudava imigrantes italianos em dificuldade (como se houvesse algum em 1970). O lado desanimador desses deliciosos jantares era minha crescente consciência da habilidade de Kit para beber tanto quanto os nossos convidados — juntos. Ele era um anfitrião agradável, um mestre de cerimônias inteligente e um florescente mestre "coqueteleiro" — ou, como eu interpretava essas coisas, um alcoólatra. Confrontei Kit; estava preocupada com ele e conosco. Kit negou que fosse algo mais que um cara que queria se divertir, mas estava ficando muito claro que a relação dele com o álcool — e consequentemente comigo — podia ser chamada de qualquer coisa, menos de boa.

Viver junto exacerbava nossas diferenças. Eu estava pronta para me acomodar a uma rotina doméstica. Kit tinha outros projetos para sua vida, nos quais a bebida estava em primeiro plano. Simplesmente, todos os seus fins de semana já estavam comprometidos por uma ronda pelos bares com Joe, John, ou outro cara conhecido apenas como Clam. Essas reuniões sempre duravam até o dia nascer. Se eu queria sair numa sexta-feira ou sábado, tinha de fazer meus próprios planos. Numa sexta à noite, fui ao mercado e comprei aspargos frescos para dourar em vinho e alho e servir com macarrão cabelo de anjo. Fiz o molho, pus a água para ferver e esperei; Kit não veio para casa. Finalmente, comi a massa sozinha. Kit decidira participar de um jogo de pôquer no trabalho, depois do qual os jogadores fizeram a ronda dos bares do centro da cidade. Kit chegou em casa com uma garrafa de cerveja para beber antes de ir para a cama, às quatro da madrugada.

Cabelo de anjo com aspargos

450 gramas de aspargos (do tipo mais fino disponível)
2 colheres de sopa de azeite de oliva
Pitada de pimenta calabresa
1 dente de alho fatiado fino
1 colher de chá de sal

½ xícara de vinho branco
220 gramas de macarrão cabelo de anjo
Parmesão ralado na hora ou pecorino
Pimenta moída na hora

Lave os aspargos e use apenas as partes mais tenras. Você pode escolher quais usar quebrando cada talo de aspargo com as mãos. As fibras duras vão separar-se sozinhas, exatamente no lugar certo. Corte o remanescente diagonalmente, em pedaços de 3cm.

Aqueça o azeite de oliva em fogo médio, depois acrescente a pimenta vermelha e o alho. Refogue até o alho dourar, depois junte os aspargos e cubra-os com azeite de oliva. Junte o sal, cozinhe por 5 minutos, depois acrescente o vinho e cozinhe por mais 10 minutos, ou até que o aspargo amoleça a seu gosto.

Cozinhe a massa segundo as instruções na página 31, agitando sempre; o cabelo de anjo é particularmente vulnerável a embolar e fazer nós. Quando a massa estiver pronta, coloque-a num escorredor e, depois, na frigideira com os aspargos. Mexa e cozinhe em fogo baixo por cerca de 20 segundos, sirva depois em pratos aquecidos. Polvilhe com queijo e pimenta moída na hora, se desejar.

Serve duas pessoas, mas é possível que você acabe comendo sozinha.

Cansada de comer sozinha em casa, me inscrevi numa aula de instrução culinária gratuita à custa da aparentemente ilimitada conta de despesas de minha amiga e ex-colega de trabalho Deborah Kwan. Deborah era filha de imigrantes chineses que tinham um restaurante em San Francisco; seu interesse e amor pela comida eram profundos, como os meus, e ligados à família. Deborah trabalhava numa editora que parecia distribuir dinheiro, e íamos a algum lugar fabuloso quase todas as noites à custa da empresa — provamos comida simples de bistrô no Odeon e degustamos sabores delicados e complexos no Bouley. Comemos em lugares novos, lugares antigos, santuários culinários e arapucas para turistas. Ficávamos séculos na lista de espera para obter alguma cobiçada reserva ou esperávamos uma eternidade nos bares de estabelecimentos que não aceitavam reservas, mas que considerássemos merecedores da nossa visita.

Deborah deixou o ramo de relações públicas para seguir carreira na cozinha e, dali em diante, a mamata só melhorava. Depois de um curso rápido no Peter Kump's, ela tornou-se chef confeiteira no 44, o restaurante no Royalton Hotel, famoso na época por ser a cafeteria *ad hoc* de todos os editores das grandes revistas: Anna Wintour, Graydon Carter e Tina Brown almoçavam nos primeiros reservados todas as tardes. Deborah se apaixonou pelo *sous chef* (com quem finalmente se casou), e podíamos comer no restaurante quando ela não estava trabalhando. Não precisávamos pedir; apenas nos sentávamos, e Erik mandava prato após prato de comida fantástica pela qual pagávamos pouquíssimo. Um colega de classe de Deborah no Kump's começou a trabalhar na cozinha de doces do Le Cirque, e encerramos uma noite com uma garrafa de champanhe e uma variedade de 16 sobremesas espantosamente bonitas diante de nós, entre as quais se destacavam: um fogão de chocolate com uma frigideira de marzipã cheia de calda de morango em cima (o garçom cantou uma pequena canção antes de derramar o conteúdo da frigideira sobre o fogão); suflê Grand Marnier, feito com um licor à base de conhaque com sabor de laranja; musse de chocolate; e uma torre de cones de sorvete, cada um de sabor diferente. Essas incursões foram para mim como uma escola de aprimoramento — educaram meu paladar, mensuraram meu entendimento de comida e me tornaram uma cozinheira melhor.

Não importavam os muitos sorbets, gelatinas ou bolinhos a que eu era apresentada numa determinada noite, minhas expedições nunca eram tão longas quanto as de Kit. Nos primeiros dias de nossa coabitação, eu esperava de pé, preocupada por ele estar viajando no metrô para nossa "vizinhança emergente" às quatro, cinco, até sete da manhã. Até a patrulha de vigilância formada pelos residentes do bairro e que subia o quarteirão tinha cessado suas rondas àquela altura. Finalmente, as noitadas de Kit na cidade tornaram-se cada vez mais frequentes, e eu parei de me preocupar: simplesmente ia para a cama. Por fim, em vez de alívio, ficava aborrecida quando ele finalmente entrava pela porta. Uma noite acordei com o som de Kit fazendo jantar depois de uma noite de bebedeira. Aqui está a receita dele.

Sopa bêbada de Kit

Abra uma lata de sopa de macarrão com galinha. Ponha na panela em fogo médio. Desmaie no sofá. Cozinhe até a namorada ouvir sons estranhos de estalos e levantar da cama para ver o que está acontecendo e desligar o fogão para limpar a bagunça de manhã.

Tempo: usualmente cerca de 4 horas.

Rendimento: nenhum.

Fiquei zangada com Kit a maior parte do tempo durante aqueles quatro anos que passamos juntos, e não apenas por causa da bebida. O incompreensível fator que sempre me afastava dos homens perseverava e continuava a me impedir de me aproximar mais de Kit. Suas escapadas noturnas pareciam ter função semelhante para ele. Ainda assim, nunca me convenci totalmente de que o hábito de Kit de beber era um problema tão grande quanto realmente era. Sempre achava que eu estava exagerando o interesse dele pela bebida para criar outra barreira. Isso foi um erro. Embora minhas opiniões sobre Kit durante os quatro anos em que ficamos juntos continuassem tão distorcidas como no dia seguinte ao nosso primeiro encontro, quando se tratava de pôr distância entre nós, ele me encontrava a meio caminho.

Uma noite, estávamos na cama dormindo quando fomos assustados por um barulho de algo quebrando em outro aposento. Quando corremos para ver o que acontecera, descobrimos que os armários da cozinha haviam despencado da parede. Nossa coleção de pratos — alguns da mãe de Kit, outros de minha mãe e vários de minha avó — estavam em pedaços no chão. O simbolismo da cena não escapou a nenhum de nós. Pouco tempo depois, Kit se mudou do apartamento.

Nunca consegui que Kit valorizasse a deliciosa sutileza de um risoto cremoso, perfeitamente cozido feito com arroz arbório, mas absorvi as fascinações intelectuais dele. Juntos nos tornamos adultos, e as coisas que aprendi com ele — por exemplo, como Sara Murphy, melhor amiga de Scott e Zelda Fitzgerald e inspiração para a Nicole Diver de *Suave é a noite*, sempre usava suas pérolas quando se bronzeava na Riviera francesa — reforçam meu repertório de coquetel até hoje. Kit dá a mim o crédito de saber chamar um táxi — conhecimento essencial para o nova-iorquino próspero — e por apresentá-lo à sua banda favorita de todos os tempos: Jesus and Mary Chain. Kit deixou de beber desde então e é um dos meus amigos mais queridos.

Meu pai

Meu pai era um otorrinolaringologista, palavra que ainda gosto de dizer, embora todas as outras pessoas prefiram otorrino, mais curto. Quando criança, eu me orgulhava do fato de meu pai ser um médico e do status que isso dava à nossa família antes da invenção do seguro-saúde e dos fundos de investimentos. No primeiro ano, quando estávamos aprendendo o alfabeto e fui chamada a dizer uma palavra com a letra "V", eu disse "veia", que achava uma palavra tremendamente inteligente para se saber. No segundo ano, para me exibir, apresentei um diagrama de 81,3cm por 91,4cm do ouvido interno que peguei no consultório de meu pai.

O consultório ficava no porão da nossa casa. Na gaveta mais baixa à esquerda de sua grande escrivaninha de mogno, meu pai tinha um sortimento de pirulitos Tootsie, que oferecia às muitas crianças das quais extraía as amígdalas. "Você prefere de morango, cereja, uva ou chocolate?", eu o ouvia perguntar quando, por acaso, passava pela porta do consultório, num tom de voz suave que seus próprios filhos não ouviam com muita frequência. Eu invejava aquelas crianças.

Quando nos via, no fim das consultas, meu pai estava em geral esgotado pelas exigências do trabalho e dos pacientes. Quando meus irmãos e eu ainda éramos pequenos, os jantares da família podiam ser ocasiões tensas. Em algumas noites, quando uma dose de uísque *on the rocks* o relaxava, ele gostava de se entregar à atividade que mais o divertia além de golfe: o jogo de vocabulário Word Power da revista *Reader's Digest*. Embora o italiano fosse sua primeira língua, meu pai tinha um vocabulário em inglês que rivalizava com o da maioria dos meus professores de literatura. Ele nunca falava italiano em casa e consequentemente nunca aprendemos. (Isso ainda me aborrece.) A única vez que o ouvíamos falar sua língua nativa era quando o jantar era interrompido por um telefonema de um paciente italiano cujo filho tinha uma espinha de peixe presa na garganta ou algum outro acidente terrível desse tipo. Se nós comíamos tudo e não o interrompíamos, meu pai nos testava depois com a ajuda do jogo da *Reader's Digest*, certificando-se de que nossas capacidades estavam à altura. Enquanto minha mãe cuidava dos pratos, ele tomava um expresso ou comia pedaços de pera colocados num copo de vinho tinto, enquanto comíamos qualquer sobremesa que minha mãe oferecesse. Tenho a certeza de que era grato pelo cuidado dela com as nossas refeições, mas nunca dizia isso, ao menos na nossa frente. Era sério e havia poucas brincadeiras entre eles. Profundamente interessado em nossa educação, as conversas durante o jantar com frequência o levavam a mandar um de nós à enciclopédia sempre que surgia um assunto que demandava mais pesquisa. Ele comprou todos os tipos de instrumentos de ensino analógico. Morro de pena de que tenha perdido completamente a internet; como a teria adorado, especialmente a Wikipedia, que teria poupado aos meus irmãos e a mim incontáveis viagens da cozinha à biblioteca com livros pesados nos braços.

Quando meu pai revelava sua afeição por nós, fazia-o por meio de pequenos gestos. Nas noites de domingo, depois do jantar, ele nos levava a passeios pela vizinhança para dar uma olhada nas lojas de roupas do bairro; americano completamente naturalizado, gostava particularmente de uma loja de roupas clássicas chamada *Lulu's Back in Town*, que vendia calças jeans antigas. Gostava de comprar roupas para nós e gostava especialmente dos jeans antigos, com lenços coloridos costurados nos joelhos. Quando precisava ir ao hospital para visitas noturnas, convencia um de nós a acompanhá-lo com a promessa de uma parada para um sorvete no Carvel, seu favorito.

Meu pai e minha mãe saíam para jantar todas as quartas-feiras — sua penitência por jogar golfe três vezes por semana. Eles iam a um dos excelentes restaurantes italianos do bairro: Tommaso's ou Ponte Vecchio. Sempre me perguntei o que meus pais, tão focados na família, teriam a dizer um ao outro, numa mesa, sem nós, crianças, por perto. Minha mãe sempre dizia que eles eram um dos poucos casais que estavam sempre falando, diferentemente dos muitos casais taciturnos que apenas se sentavam, cada um de um lado, mastigavam e olhavam para cima, mas nunca acreditei nela. Aos sábados, iam a algum lugar mais animado com outros casais, em geral "na cidade". Naquelas noites, meu pai passava mais tempo que minha mãe enfeitando-se em frente ao espelho na porta de seu closet. Experimentava uma gravata, depois tirava e experimentava outra, depois decidia que talvez fosse melhor sair de gravata-borboleta. Minha mãe ficava do lado, observando, pronta para desmanchar o cabelo castanho ondulado que fora penteado horas antes.

"Devo ser a única mulher no mundo que espera o marido se aprontar antes de sair", resmungava.

Como crescera na Europa durante a Segunda Guerra Mundial, quando a comida era escassa, meu pai detestava que qualquer coisa na nossa casa fosse para o lixo. Ele sabia cozinhar apenas uma coisa: minestrone, uma sopa de carne, legumes, macarrão e favas que nascera de seu profundo medo de qualquer desperdício de comida. Em qualquer sábado chuvoso ou frio demais para o golfe, eu o encontraria remexendo no refrigerador, tirando tudo que parecesse em perigo para pôr na sopa. Não importava qual fosse a base, sua criação sempre tinha o mesmo sabor maravilhoso de tomate, bacon e verduras. Ele sempre acrescentava cevada para dar à sopa uma consistência atraente. O mais notável a respeito do minestrone do meu pai era que todos os elementos eram cortados com a precisão do cirurgião que ele era. Isso eu não consigo imitar, não importa quanto tente, mas talvez você possa.

Minestrone do meu pai

2 fatias de bacon, cortadas em pedaços de 0,5cm (opcional)
3 colheres de sopa de azeite de oliva
1 cebola de tamanho médio picada
1 cebola chalota picada (opcional)

3 batatas portuguesas picadas em cubos
2 cenouras pequenas, cortadas em fatias finas
2 caules de aipo picados
1 colher de chá de sal, mais algum sal a gosto
2 abobrinhas menina, cortadas em fatias de 0,5cm, depois cortadas em quatro
1 abobrinha italiana, cortada em fatias de 0,5cm, depois cortadas em quatro
170 gramas de vagem, picadas em pedaços de 2cm
220 gramas de cabeças de cogumelos, picadas em quatro
4 tomates italianos, sem as sementes e picados (ou uma xícara de tomates inteiros enlatados, sem o suco e picados)
½ xícara de milho amarelo (coado, se vier em lata)
1 xícara de ervilhas em grão frescas ou congeladas
1 xícara de grãos-de-bico em lata, escoados
Um pé de couve pequeno, folhas externas removidas, picado
2 colheres de sopa de manteiga
¼ de xícara de cevada (ou trigo) (opcional), sem cozinhar
¼ de xícara de folhas de manjericão
¼ de xícara de salsinha picada
Pimenta moída na hora
Parmesão ralado na hora

Numa frigideira pequena, frite o bacon em fogo médio até que ele adquira um pouco de cor e libere um pouco da gordura. (Se deve juntar a gordura à base da sopa ou jogá-la fora fica entre você e sua instrutora dos Vigilantes do Peso. Eu uso metade da gordura.) Aqueça o azeite de oliva numa panela grande (que caiba cerca de 8 litros) ou caldeirão em fogo só um pouco acima de médio, depois doure a cebola e a cebola chalota até que fiquem translúcidas, cerca de 2 minutos. Acrescente as cenouras, batatas, aipo e 1 colher de chá de sal; deixe as verduras amolecerem um pouco, mexendo regularmente para não grudarem no fundo da panela, cerca de 5 minutos (se ficarem muito grudentas, acrescente um pouco de água). Junte a abobrinha, a vagem, os cogumelos e continue a mexer regularmente.

Quando todas as verduras tive em amolecido e as abobrinhas estiverem translúcidas, acrescente os tomates, o milho, as ervilhas verdes e o grão-de-bico, água suficiente para cobrir todo o conteúdo e sal a gosto, e cozinhe por mais 10 minutos, continuando a mexer. Junte o repolho e 2 litros de água, sal a gosto e duas colheres de sopa de manteiga. Ponha para ferver, junte a cevada (se estiver usando), depois abaixe o fogo e cozinhe por mais 45 a 50 minutos.

Quando todos os sabores estiverem misturados, e você, pronta para servir, prove para ver se está bom de sal, junte ervas e sirva com pimenta moída e parmesão ralado na hora.

Rendimento: 8 a 10 porções

Durante os últimos anos de vida de meu pai, quando eu estava na faculdade, ele e minha mãe cultivaram um novo ritual no sábado à noite. Meu pai fazia sua sopa, minha mãe fazia uma pizza simples com massa comprada numa padaria do bairro, depois alugavam uma comédia dos anos 1960 (*Divórcio à italiana*, estrelado por Marcello Mastroianni, era uma das favoritas) e se sentavam na sala de estar, comendo e dando gargalhadas. Quando eu passava um fim de semana em casa, não podia acreditar no que via. Onde estavam meus pais? Os dois se divertindo juntos. Esses eu não conhecia.

Na faculdade estudei italiano e história da arte; por causa disso, estreitei os laços com meu pai. Ele ficou deliciado com meu interesse em sua cultura e idioma nativos; no verão, entre o segundo e o terceiro ano na faculdade, viajamos juntos para a Itália para que eu pudesse conhecer tias, tios e primos em Salerno. Naquela viagem, meu pai passou maus bocados tendo que subir as colinas de sua cidade natal ou a grande escadaria de mármore da Galeria Uffizi. Ele tinha uma doença cardíaca; houve testes e medicamentos, mas ele não falava muito sobre a doença, e nós não perguntávamos.

Passei o primeiro semestre de meu último ano estudando em Florença, Itália. Na véspera de eu viajar, meu pai e eu ficamos acordados até tarde, pedindo itens em liquidação no catálogo da L.L.Bean (outra de suas atividades favoritas). Eu queria shorts azuis e brancos que estavam sendo vendidos a 5 dólares, mas só havia do tamanho 46. "Isso é grande demais!", disse meu pai. Mas não importava, eu os queria, e ele os comprou para mim. (Eu costumava usar os shorts com um cinto. Achava que ficava *punk*.) Meu pai pareceu relutar em se despedir de mim naquela noite. Tive a sensação de que pensou que era a última vez que me via.

Escrevi longas cartas para meus pais de Florença descrevendo todas as maravilhosas experiências que eu vivenciava — mais frequentemente relacionadas com uma garrafa de Brunello e um prato fundo de sopa *ribollita* que com o domo de Brunelleschi e os sonetos de Petrarca. Quando estava em Florença, recebi a mais amorosa mensagem de minha vida. Meu pai a escreveu nas costas do envelope. Aqui está o que ele escreveu:

Querida Giulia,

Mamãe e eu já tínhamos fechado esse envelope antes que eu tivesse a chance de escrever alguma coisa, então escrevi do lado de fora. Na verdade, estou contente por fazer isso e deixar que todos vejam que penso em você e que a amo muito.

Papai

A caligrafia precisa de meu pai era inconfundível, mas o sentimento, profundamente estranho. Tive que reler algumas vezes para ter certeza de que era real.

Eu tinha a opção de ficar em Florença por mais outro semestre. Era o grande momento da minha vida, e desenvolvi, inclusive, uma atração por um professor de história que era comprometido, mas parecia ter admiração verdadeira por minhas ideias sobre as divisões hierárquicas na corte dos Médici. Voltei para Nova York porque fiquei com medo de que meu pai morresse antes de o semestre terminar.

Era Natal quando voltei, e nossa casa estava cheia, como sempre acontecia nos feriados, com pacotes de presentes de vinho Bolla e caixas de panetone — presentes dos muitos pacientes ítalo-americanos de meu pai. Aqueles panetones eram um cruzamento de pão com bolo, salpicado de frutas secas e recendendo a licor doce. Nunca toquei num panetone quando era criança, mas, em janeiro, quando voltei ao campus para o meu último semestre, meu pai se despediu de mim com um par de garrafas de Barbaresco e um enorme panetone numa lata modernista preta e vermelha. Estudantes que comem tarde da noite consomem quase tudo, então meus amigos e eu atacamos os panetone uma noite. Acompanhado de vinho tinto e reforçado com outras substâncias exóticas, não era mau. Talvez fosse a lata, talvez fossem os químicos, mas aquele panetone continuou macio e comível durante todo o inverno. Comíamos um pouco todas as noites, e ele continuava parecendo intocado. Comemos até bem avançada a quaresma.

Na manhã em que terminei de redigir meu último trabalho, meu pai foi submetido a uma cirurgia cardíaca de emergência. Não sobreviveu à operação. Morreu três dias antes da minha formatura. Ainda tenho o envelope com o bilhete que ele me mandou quando eu estava em Florença. Ele tem um lugar permanente em cima de minha caixa de cartas. De vez em quando o releio para lembrar a mim mesma as muitas surpresas do amor.

Não tenho receita de panetone. Nos últimos anos percorri as padarias do Little Italy e as lojas de doces mais chiques do Upper East Side para encontrar um bolo tão delicioso quanto o que meu pai me deu naquele ano. Encontro alguns na época das festas e como um pedaço todas as manhãs (e ocasionalmente à noite), na semana do Natal e do Ano-novo. Às vezes fico desapontada com o que trouxe para casa; às vezes, bastante contente. Ainda não encontrei um que seja perfeito. É possível que nunca o encontre.

Café da manhã Vitória

Fiquei vaidosa quando rompi com Kit. Sem nenhuma razão, imaginei que o longo período sem namorado que suportara do nascimento aos 23 anos ficara para trás. Kit, por sua vez, entrou rapidamente em outra relação que, pelo que entendi, tinha a mesma dinâmica de álcool e agressão apresentada pelo casal George e Martha na peça *Quem tem medo de Virginia Woolf?*. Eu, porém, levei mais tempo para encontrar o George para a minha Martha. Naqueles anos solitários, sempre que me sentia triste e desinteressada por comida, preparava macarrão em miniatura, em formato de estrela. Minha mãe costumava fazer essa comida para mim quando eu era bebê, ou sempre que ficava doente quando era criança. Mantenho uma caixa de minimacarrão em casa para quando não me sinto muito bem ou não estou a fim de cozinhar. É rápido, simples e muito reconfortante.

Pastina

¼ de xícara de minimacarrão
¼ de colher de chá de sal
1 ovo levemente batido
1 colher de chá de manteiga
1 colher de sopa de parmesão ralado na hora
Pimenta moída na hora

Ponha uma xícara de água para ferver numa panela pequena, junte o macarrão e o sal e cozinhe até que a água tenha sido totalmente absorvida, de 3 a 4 minutos. Desligue o fogo e adicione o ovo. Deixe que ele cozinhe no macarrão quente, depois acrescente manteiga, queijo e um pouco de pimenta.

Serve uma pessoa.

Quando se está solteira, os altos e baixos são sempre extremos. Você tem oportunidades de mais animação e prazer que qualquer pessoa compromissada jamais terá, e também pode aproveitar esses momentos ao máximo porque os tapetes são puxados debaixo de você enquanto você ainda pensa que está por cima. E antes que todas as pessoas casadas fechem este livro com força, vou concordar em que o casamento pode muito bem ser animado, é que simplesmente ainda não tive oportunidade de descobrir. O que sei é que as vicissitudes da paquera se tornam chatas, ou você fica velho demais para compartilhá-las, ou, como aconteceu comigo, as duas coisas, e você almeja a estabilidade de um parceiro permanente. Almejo isso faz algum tempo; só que ninguém ainda suspirou por mim.

Os quatro anos entre Kit e o meu relacionamento estável seguinte incluíram muitos falsos começos — começos excitantes, meios incertos e fins aniquiladores, tudo ocorrendo no espaço de uma semana ou duas. Eu recebia mal os fins abruptos, mas adorava a agitação inicial. Não cozinhei muito naqueles anos — nas raras ocasiões em que fazia alguma coisa para mim, meus amigos ou o namorado, eu pensava, oh, eu me lembro de quando fazia isso, sou boa nisso —, mas, na maior parte das vezes, jantava fora.

Sempre ficava triste por causa de Kit.

Ginia suportou a parte mais difícil disso. Ela era amiga de uma pessoa não muito próxima na faculdade. Nós nos conhecemos numa festa, num quintal no Brooklyn, numa noite de verão de 1989. Ginia, jornalista ambiciosa, trabalhava numa revista sobre o meio ambiente hoje fechada, chamada *Garbage*, num tempo em que reciclagem era apenas um brilho nos olhos de Al Gore. Só ficamos mais íntimas alguns anos mais tarde, quando ela estava na *Time*, escrevendo a coluna "People", e eu era agente de publicidade da Penguin, desesperada para divulgar uma festa que comemorava a publicação de *The Lifestyles of the Rich and Famous Cookbook*, um livro culinário do estilo de vida dos ricos e famosos, publicação de Robin Leach, uma atrocidade culinária com receitas de Kenny Rogers e Vanna White, que eu, por algum golpe de má sorte, fui encarregada de promover. Nos dias anteriores à festa, minha chefe e eu entramos em pânico acerca de como lidar com a chegada dos recém-divorciados Ivana e Donald Trump. Nossas preocupações se mostraram injustificadas porque nenhum dos dois apareceu, mas levar uma repórter da *Time* à festa seria ponto para mim. Por mais adorável que fosse o champanhe Taittinger servido sem parar, eu estava louca para sair de lá. Agarrei Ginia e fomos caminhando para o Trader Vic's, bar de decoração polinésia no Plaza Hotel, onde eu imaginava que garotos que se preparavam para a universidade assediavam as namoradas com drinques suaves nos anos 1950 e que, tristemente, não existe mais. Entre amuletos polinésios e garçons com colares de flores, Ginia e eu bebemos vários *mai tais* à base de rum e conversamos durante horas. Eu ainda vivia com Kit e me abri com ela sobre o possível problema dele com o álcool enquanto bebia uma quantidade impressionante de ponche de rum. Ela me confessou a atração que sentia por Brad Meyerson, amigo dela que não falava muito — nem sobre a devoção por ela, que logo seria revelada, ou, a propósito, sobre coisa alguma.

Desde aquela noite, Ginia tem sido minha melhor amiga. Temos muito em comum. Seu pai é da Itália e era um cirurgião tão preciso quanto o meu. Sua mãe, apesar de nascida nos Estados Unidos, era filha de sicilianos, exatamente como a minha. As pessoas até dizem que somos parecidas. Podemos conversar sobre o mundo da mídia de Nova York, assim como sobre guloseimas natalinas. Mas, na maior parte do tempo, falávamos sobre nossos namorados. Ginia está casada agora, então tem menos a oferecer nesse aspecto. Eu consigo manter o fluxo de histórias. Ela também é uma cozinheira brilhante, que me serviu uma variedade de refeições deliciosas enquanto ouvia os casos de meus muitos picos e vales românticos.

O primeiro a que ela sobreviveu foi meu romance com Serge, um tradutor croata que conheci numa viagem de lançamento de um livro. Sentada em sua sala de jantar em Park Slope, enquanto ela me servia polenta com cogumelos e gorgonzola, eu lhe explicava como ele era minha *passione grande*. Eu me convencera disso; precisava disso. Ele começou a falar em casamento instantaneamente, e aquelas eram palavras que eu estava louca para ouvir, especialmente porque Kit nunca as mencionara. Eu queria que Kit quisesse se casar comigo, muito embora estivesse bastante certa de que casar com ele era má ideia. Mas, após dois meses com Serge, percebi que não tolerava sequer vê-lo, parcialmente porque criticou o mofo da cortina de plástico do meu banheiro, enquanto ele próprio estava instalado num apartamento infestado de ratos no Upper East Side, mas principalmente porque ainda estava apaixonada por Kit. Chorei a maior parte do tempo em que estive com Serge; chorava enquanto estávamos na cama, chorei na Barneys quando "Harvest Moon" de Neil Young começou a tocar quando comprávamos camisas (Kit e eu costumávamos ouvir aquele álbum em nossos passeios de carro até Connecticut). Eu me descontrolei, corri para fora da loja e fui para casa sozinha.

Logo depois disso, entrei numa relação a longa distância com um amigo de um amigo de Chicago. Começou com um clima agradável num telefonema rápido enquanto eu ainda estava com Kit. Quando Tim foi a Nova York descobrimos que nossa harmonia sexual era tão boa quanto o clima que tínhamos ao telefone. Hesitei em entrar numa relação que envolvesse viagens de avião, mas Tim insistiu, deixando pedidos convincentes em meu telefone como "beijar você novamente seria um privilégio para mim". Isso me prendeu, mas as coisas deram errado assim que comecei a voar para oeste, o que fazia na maioria das vezes, porque Tim tinha medo de voar.

Namorei um WASP, nome que dávamos na época a esses tipos racistas e religiosos. Ele era de Rhode Island e nunca comia quando saíamos. "Gosto de manter o peso", explicou. Menos preocupada com ser chata que com ficar faminta, eu comia antes de vê-lo, pois, em geral, nos encontrávamos bem depois da hora de jantar. Ele parecia um modelo da J.Crew e já dormira com metade das mulheres da publicidade. Acordei em seu apartamento numa manhã, o telefone tocou; quando terminou a conversa, ele me disse que eu teria de ir embora porque uma mulher — "que eu poderia conhecer algum outro dia, mas não hoje" — estava sem água quente e precisava ir ao apartamento dele para tomar banho. Decidi que hoje — não algum outro dia — seria o fim para nós.

Houve um romance de verão com um neoconservador muito mais jovem, que aos 21 anos escrevia artigos para o *Wall Street Journal*. Consumia um bocado de drogas para um conservador, mas era assustadoramente inteligente. Mandava cartas de amor de vinte páginas por FedEx de seu escritório no centro da cidade para o meu escritório afastado do centro. Gostaria de tê-las guardado, mas não o fiz porque me davam arrepios. Nelas, ele informava os sonhos que tinha comigo, um dos quais me fez saltitar de alegria e entrar em êxtase. Terminamos quando ele precisou voltar para a Universidade de Chicago para mais um semestre, fato que não mencionou enquanto saímos juntos. Ele escreveu um último bilhete sobre um cervo ferido que vira à margem da estrada. Ele e seus amigos pararam e tentaram ajudá-lo, mas o animal teve de ser abatido. Comparou aquela violência com o que precisava fazer em relação ao seu amor por mim.

Eu me convenci de que me casaria com um escritor satírico de uma família rica — que parecia o adolescente David Helfgott do filme *Shine*, o pianista prodígio com doença mental, ou ao menos o ator que interpretava o papel dele (não Geoffrey Rush, mas o mais jovem) — desde o momento em que o nosso encontro às escuras foi marcado, um mês antes de nos conhecermos. Fiquei tão obcecada por esse homem e para que tudo desse certo no encontro que, na verdade, fiz uma consulta telefônica com um dos autores de *The Rules*, guia de encontros que teve sucesso fenomenal, baseado na sabedoria dos anos 1950. Consegui esse privilégio de graça por intermédio de um amigo que era agente de publicidade do livro. Então, na noite em que o conheci, quebrei a regra principal. Dormi com ele, e isso acarretou exatamente as consequências preditas pelos autores.

Tive alguns encontros com um cara cujo último nome nunca entendi direito e que, após o terceiro encontro, me deixou um bilhete dizendo que ia sair da cidade para sempre. Isso pareceu uma gentileza desnecessária.

Embora minha atividade culinária diminuísse fora dos relacionamentos e da domesticidade, eu continuava a comer bem. Existe uma delícia em particular que me evoca os melhores momentos daqueles anos. É algo que chamo de café da manhã Vitória.

Mesmo que eu quisesse prepará-lo, não seria capaz disso: costumo ter ressacas horríveis. Não, o café da manhã Vitória é mais bem preparado numa delicatéssen ou cafeteria de Nova York; é o pão com bacon, ovo e queijo que muitos moradores da cidade comem toda manhã. Eu raramente me permito uma delícia tão decadente. Naqueles anos de adolescência tardia, era o que eu comia pela manhã após uma noite de divertimento, seguida de uma sessão de namoro com um cara sexy, mas não disponível, de preferência acompanhada de cem cigarros.

O café da manhã Vitória é a comida perfeita para acalmar o estômago depois de uma noite dessas. O nome me veio à mente enquanto eu esperava que fosse preparado na manhã posterior a uma longa noite em companhia de um espirituoso repórter correspondente de guerra cujo romance eu estava promovendo. Ian e eu nos encontramos para alguns drinques e para falar de negócios numa noite de agosto. Ele morava na esquina da minha rua, então nos encontramos no bar da rua, um lugar vitoriano antigo com paredes com muitos espelhos grandes e madeira entalhada. Eu usava uma minissaia similarmente gótica de Cynthia Rowley, amarelo-damasco, com uma camiseta branca de alças e um casaco de malha combinando em volta do pescoço.

Ian guardava um assento no bar para mim quando cheguei pontualmente às 19h05 para o encontro marcado para as 19h. Pedimos duas garrafas de meio litro de cerveja. Ian fumava como um louco na época, eu fumava como uma louca sempre que me sentava num bar com um cara que fumava. Ian contou histórias hilariantes sobre sua madrasta, que fora promovida de enfermeira a esposa depois da morte de sua mãe, mas continuava a chamar seu pai de "chefe". Ele tinha uma estranha fascinação pelos detalhes da execução de Mussolini; e vira guerra e sofrimento e correra riscos. Enquanto bebíamos cerveja após cerveja, meus cigarros acabaram e comecei a fumar os Winston mais fortes dele. Até as duas da manhã planamos em nicotina, lúpulo e conversa. Eu não comera sequer uma migalha, nem Ian, e vendo que não havia nenhum lugar para jantar àquela hora, eu o convidei a ir ao meu apartamento para — o que você acha?

Eu não perdera tanto minha essência a ponto de não manter na minha despensa algumas latas de tomate italiano e pacotes de massa de várias marcas: De Cecco, comprado nos dias em que eu me sentia exuberante; Barilla, comprado nos dias em que me sentia falida; até uma ou duas caixas de Ronzoni, que deviam estar em alguma grande liquidação. Sempre havia um pedaço de parmesão no refrigerador e algumas garrafas de vinho num *rack* sobre a pia. Peguei um tinto e servi um copo para Ian e outro para mim (como se realmente precisássemos beber mais).

Comemos a massa num pequeno recanto de jantar que criei num nicho do meu apartamento. Ian repetiu. Será que sabia que aqueles fios de macarrão tinham cordões atados neles? De volta ao sofá, tomei a iniciativa e perguntei: "São quatro da manhã e você está no meu sofá, quando é que nós vamos transar?"

Ian era um cavalheiro, então condescendeu um pouco, mas tinha uma namorada, ele me disse, e prometera a ela que não a enganaria. (Não sei se confiaria num cara que dissesse que não trairia, mas aquilo não era problema meu.) Ian não traiu, administrou a mim e às minhas expectativas gentilmente, deixando intacta, de algum modo, a confiança atrevida que havia inspirado uma observação tão ousada da minha parte.

Não era a primeira vez — nem seria, infelizmente, a última — que eu tomava a iniciativa sexual de forma tão agressiva. Antes de Kit, fiquei sem ser beijada no fim de quase todas as noites que passei com um homem de quem gostava. Quando me vi sozinha com Elliot Goldkind, compositor emergente e um dos poucos heterossexuais bonitos do campus, não pude deixar passar a oportunidade sem tentar alguma coisa. Havíamos roubado uma garrafa de vinho de uma festa patrocinada pela universidade e voltamos para o dormitório dele, onde falamos sobre nossa má conduta e rimos durante horas. Estava sentada na cama dele, e ele estava sentado na cadeira da escrivaninha, e eu não podia deixar o quarto sem ter nada para contar depois. "Minhas amigas vão me matar se eu não transar com você", falei lá pelas quatro da manhã. Elliot não recebeu o comentário com o mesmo espírito esportivo com que Ian receberia comentário semelhante tantos anos depois. Ele me disse que eu havia estragado a noite divertida que estávamos tendo.

Quando o delicado e cortês Ian deixou meu apartamento, fui lavar os pratos e me deitei por volta das cinco e meia da manhã. Logo em seguida era hora de levantar e me vestir para o trabalho; não me sentia nem um pouco cansada; estava excitada demais com a noite que havia passado. Enquanto esperava o sanduíche na fila da delicatéssen Honey Bee, do outro lado da rua do meu escritório, o nome surgiu em minha mente: Café da manhã Vitória, recompensa saborosa por uma dura batalha vencida. Não muito tempo depois de consumir o sanduíche, telefonei para Ginia e lhe contei a minha noite. Ela ficou tão impressionada com a minha audácia quanto eu. Logo depois que desliguei, Ian me telefonou para dizer que se divertira muito. Eu me perguntei se ele se lembrava da parte dos beijos.

Eu havia encontrado um nicho. Quando outro escritor veio a um jantar na minha casa e ficou depois que todos os outros convidados partiram, imaginei que não havia ficado para me ajudar com os pratos, então reciclei a frase "são quatro da manhã". Henry não tinha namorada, então funcionou melhor desta vez, mas ele não estava realmente interessado em mim, sabia apenas (por meu intermédio) que eu beijara Ian e sentiu que não estava tendo todos os complementos dos serviços do agente de publicidade. Não me importei; não podia superar o fato de que os homens estavam interessados no meu corpo na época. Mas eu já obtivera o suficiente de seu interesse pela minha mente, o que me deixava insatisfeita cem por cento do tempo. Mas tudo isso acabou quando, finalmente, encontrei Ethan.

A escola de culinária
Ethan Binder

Eu já sabia um bocado sobre Ethan antes de começarmos a namorar. Havia informação suficiente para afugentar uma garota sensível, mas isso apenas me impeliu em sua direção, que coincidiu de ser a mesma direção da cozinha.

Conquistá-lo levou nove meses e 27 refeições, e ainda havia a história dele com Anne, uma boa amiga minha que o namorou durante sete anos; em quatro deles, viveram juntos. Eles romperam três anos antes de eu o conhecer.

Tornei-me amiga de Anne no verão de 1997, quando éramos parte de um grupo que dividia uma casa de verão na ilha Shelter. Anne não estava trabalhando na época, então ficava na casa durante toda a semana e, quando chegávamos, na sexta-feira, deixava vasos de flores recém-colhidas ao lado de cada cama. Ficamos amigas instantaneamente. Ela é uma das pessoas mais engraçadas que conheço porque não tem medo de falar sobre coisa alguma. E acontece que também é uma cozinheira incrivelmente criativa. Brinca com ingredientes que eu sequer teria pensado em juntar, como feijão preto e gengibre e caril como molho para mergulhar pedacinhos fritos de tortilhas, algo que chama de *nachos* Jaipur.

Anne ainda estava ligada a Ethan naquele verão, e ele também ainda não se desligara dela. Stacey, uma das amigas de Ethan, também estava na nossa casa, e Anne a interrogava impiedosamente sobre Ethan de vez em quando. Já que a fofoca era um esporte ainda mais popular que a natação ou o tênis nesse grupo, todo mundo ouvia e apresentava teorias sobre Ethan, que agora namorava uma garota significativamente mais jovem. Eu também ouvia essas conversas, pois não me abstenho de participar da psicanálise amadorística de um homem difícil, mesmo que não o conheça.

Nunca imaginei me apaixonar por Ethan. Nem sequer esperava conhecê-lo, mas, no janeiro seguinte, depois de uma tarde de compra de sofá, Anne e eu paramos para um drinque de fim de tarde numa cafeteria do West Village e lá estava ele, sentado no bar com seu amigo Perry. Então, esse era Ethan, objeto de fixação de minha amiga querida. Por que será que ele se parecia exatamente com o homem que *eu* estava procurando desde que começara a procurar um homem?

Rastreio minha queda por garotos judeus inteligentes até os meus 12 anos, quando fantasiava sobre Jeff Goldblum, que, na época, era ator coadjuvante de uma série detetivesca de curta duração chamada *Tenspeed and Brownshoe*. Eu não tinha certeza sobre de onde vinha especificamente minha atração por sua aparência, embora suspeite de que se relacione à imagem de repressão que ele irradiava. Pessoas reprimidas me atraem como um pirex de lasanha borbulhante recém-tirado do forno — talvez porque não deem pistas sobre o que estão pensando, permitindo que eu projete o que desejar nelas, meio como aquelas manchas de tinta abstratas do teste de Rorschach. Elas também tendem a ser hilariantes.

Ethan é o homem mais brilhantemente perspicaz que conheci. Ele identificava com precisão tudo que era divertido nas pessoas, e coincidentemente conhecíamos muitas pessoas em comum, então conversamos amigavelmente quando enfim nos encontramos naquela noite, depois de gastar 20 minutos mais ou menos com Perry, fingindo que me interessava pelo enredo de *Little Dieter Needs to Fly*, um filme que seu clube de documentários, na época concentrado no trabalho de Werner Herzog, assistira.

Ethan tinha olhos verdes do tamanho e do formato de amêndoas que piscavam atrás de óculos pequenos. Abaixo deles, havia um nariz substancial que abrigava narinas perfeitas. Pode não parecer, com base nesses detalhes, mas ele era incrivelmente bonito. O conjunto funcionava, mesmo que esta descrição não capte exatamente isso. Minha atração por ele se manifestou como impetuosidade. Assassinei verbalmente um ou outro editor de revista e redator de televisão de nosso círculo comum. Fiz Ethan rir com as coisas ridículas que saíam da minha boca. Não resisti a cantar "Detroit Rock City", canção da banda Kiss, sempre que ele se referia à sua cidade natal. Inspirado por minha bobice, Ethan permitiu que sua argúcia e inteligência penetrantes aflorassem detrás de seu exterior plácido. Ele fora editor da *New Yorker* e redator da *Rolling Stone*; na época, produzia e escrevia um programa para a MTV. A maioria dos jovens de Nova York acharia que essas credenciais fariam deles o máximo, mas, como Ethan tratava suas conquistas com os pés no chão, ele era, de fato, o máximo.

Ethan olhava para mim e não além de mim, como a maioria dos homens do meu grupo fazia. Parecia interessado no que eu tinha a dizer e não apenas no reflexo de sua própria glória. Ele abrira caminho na órbita da mídia de Nova York, mas se interessava mais por outros assuntos, história, principalmente; lera Barbara Tuchman e Pat Barker. Era apaixonado por música. Tocava guitarra e fizera parte de várias bandas quando estava em seus 20 anos, depois desistiu da ambição de ser estrela do rock para se tornar escritor. Nunca me apliquei nas aulas de piano e violão que tive quando criança, mas sou uma cantora decente e muito afinada, com um conhecimento enciclopédico de quase todas as canções de rock and roll escritas entre 1968 e 1990. Ethan ainda tocava com um grupo de amigos de vez em quando para se divertir; por intermédio de Anne, eu sabia qual era o gosto musical dele; era igual ao dela, que era exatamente o meu. Sem um pingo de ironia ouvíamos bandas dos anos 1970, como ELO e Chicago e gostávamos de muitas do cenário atual, bandas pós-modernas como Pavement e Teenage Fanclub.

Eu também sabia como Ethan era com comida. Depois daquele breve encontro, concluí, não incorretamente, que ele era o amor da minha vida.

Eu o vi novamente num jantar dado por Stacey, na casa de coveraneio. Stacey é uma herdeira e, definitivamente, não uma cozinheira, então a comida foi encomendada ao Second Avenue Deli. O menu tinha carne de peito de boi e *kugel* — um prato da culinária judaica feito com macarrão ou batatas assadas no forno até ficarem crocantes — e panquecas de queijo; Ethan estava sentado ao meu lado e me disse que se impressionou com o meu conhecimento dessa variedade de pratos. Eu adorava essas comidas e crescera com elas tanto quanto com as comidas da minha própria tradição. Minha mãe fora criada numa vizinhança judaica e sempre teve queda pela comida étnica judaica. Chegava a se aventurar por seu antigo bairro para comprar bolos em camadas no Stern's para os nossos aniversários. Ia ao Weinstein's, na Avenida U, para o nosso dia de ano-novo anual "levante-tarde-e-fique-de-pijama-o-dia-inteiro". Havia salmão defumado e *bagel* no café da manhã e cachorros-quentes preparados de acordo com o preceito judaico com *knishes*, pastéis de forno, para comer durante o resto do dia, junto com as tradicionais lentilhas italianas que minha mãe insistia em que comêssemos "ao menos uma colher" para ter sorte no ano que começava. Nossa despensa tinha quase todos os produtos judaicos no mercado, e não era incomum mamãe fazer para nós panquecas de batata, ou sopa com pedaços de *matzo*.

Eu me senti realmente confortável sentada ao lado de Ethan naquela noite. Ele era um comensal tão entusiasta quanto eu e um parceiro de jantar até mais engraçado. Rimos do namorado alemão de Stacey, um produtor de filmes pouco promissor que descartou a refeição num pesado sotaque germânico, explicando que o casal realmente preferia "pratos pequenos, saudáveis". Eu queria ser mulher de Ethan e alimentá-lo regularmente com pratos grandes, engordativos. Tive a sensação de que Stacey também achava que combinávamos. "Sabe que ele obteve uma pontuação perfeita no vestibular mas preferiu não cursar a faculdade?", me disse quando estávamos sozinhas, lidando com os pratos. Como se eu precisasse de mais razões para querer Ethan.

Porém, havia algo mais profundo em Ethan que me atraía. Alguma coisa nele gritava "cuide de mim", numa voz temperada de cautela. Ele representava um desafio feito sob medida para mim: havia a parede de Ethan e a minha determinação de derrubá-la — um arranjo perfeito.

Nosso primeiro encontro foi no Dia dos Namorados. *Eu* o convidei para sair, vendendo o encontro como "anti-Dia dos Namorados", embora para mim nada pudesse estar mais longe da verdade. A ideia me ocorreu numa manhã no trabalho (onde a mesmice total me permitia ser criativa com minha vida pessoal). Anne, que começara a namorar um poeta budista com quem estava bastante envolvida (a quem Ginia namorou depois com o mesmo resultado antinirvanesco), concedeu sua bênção à minha ideia. Poucas horas depois, saí para almoçar com Kit; quando atravessávamos a Sexta Avenida, não deu outra, esbarramos com Ethan. Tomei isso como um sinal de que Deus aprovava meu plano, então imediatamente comecei a colocá-lo em prática.

— Ethan! É tão estranho esbarrar com você. Eu estava justamente pensando em você — esganicei.

— É mesmo? O que estava pensando? — ele respondeu cautelosamente.

— Bem, sábado é Dia dos Namorados, e você não tem namorada, nem eu tenho namorado, e todos os nossos amigos têm. Devíamos sair juntos para não acabar ficando em casa sozinhos, como dois fracassados.

— Vou pensar nisso — disse Ethan. — Telefono para você.

Enquanto comíamos sushi, Kit me disse sem rodeios: Aos olhos masculinos de Kit, Ethan não poderia demonstrar mais desinteresse. Mais tarde descobri que Ethan tinha o talento de deixar os outros interpretarem seus climas e reações mais do que ativamente dar a conhecê-los. Kit via o que estava inclinado a ver, e eu também; contestei, dizendo que Ethan adorara o meu convite. Minha leitura se mostrou certa: Ethan me telefonou na manhã seguinte para dizer que, de fato, gostaria de jantar comigo no sábado.

Decidimos ir ao Red Rose, restaurante italiano tradicional, um dos últimos vestígios da classe trabalhadora ítalo-americana que estava sendo afastada do nosso bairro pelos preços altos. Andando pela cronicamente engarrafada Smith Street, onde um bistrô francês e uma butique de bolsas despertavam a esperança de renovação no coração dos moradores, Ethan zombou: "Um restaurante e uma loja de bolsas não representam um renascimento." Achei divertido o cinismo dele, mas, francamente, fiquei animada com o bistrô francês e a loja. Fiz com que parássemos para olhar no Patois, lotado de casais que comiam uma refeição melhor do que a que iríamos conseguir no Red Rose. Quando chegamos lá e nos sentamos à mesa, fiquei constrangida, e não apenas porque o garçom nos ofereceu uma garrafa de vinho tinto com corações cor de rosa no rótulo. Agora que eu tinha Ethan onde queria, a confiança me abandonou. Não podia pensar em nada nem remotamente interessante para dizer, ou, a propósito, nem insípido; não era a primeira vez que minha língua ficava atada num encontro.

Durante o ensino médio, eu alimentara uma paixão obsessiva por Doug Olivieri, o irmão do namorado da minha irmã

Carla. Doug era quatro anos mais velho que eu e foi para a Universidade de Nova York. Eu aparecia sem ser convidada em seu dormitório para falar sobre o show do U2 que acabara de ver e o prendia ao telefone durante horas (isso era nos primeiros dias da banda, veja bem; eles eram muito bons então). Doug foi a primeira paquera para quem cozinhei; eu fritava para ele um hambúrguer do pacote que minha mãe sempre tinha no congelador, conversando o tempo todo. Doug adorava aqueles hambúrgueres, mas não estava realmente interessado em mim. (Embora, pensando nisso agora, não exista outra razão para explicar por que ele estava sempre vindo à minha casa; aqueles hambúrgueres não eram *tão* bons assim.) Quando lhe pedi que me levasse ao baile de formatura do ensino médio, ele concordou. Mal podia acreditar que teria a oportunidade de mostrar às minhas colegas que o cara de quem falara sem parar nos quatro anos anteriores realmente existia. Nas semanas que antecederam o dia, fiz vários ensaios diante do espelho do meu quarto com o vestido rosa clássico com corpete bordado de *strass* e roupa de baixo Christian Dior lilás-claro. Mas quando vi Doug aproximar-se da porta da frente de minha casa, com a caixinha de flores na mão, congelei. Quando segurou a minha mão no pré-baile de formatura no quintal da casa de Denise, fiquei sem fala pela primeira vez na vida. Não havia nada que eu quisesse mais no mundo do que estar ali com ele, mas uma vez que ele ali estava, senti-me envergonhada por querer tanto isso. Tudo isso me deixou num raro momento de silêncio.

Desde então descobri um meio de lidar com essa aflição quando ela me atinge. Faço perguntas, o que me faz parecer mais um interrogador do FBI do que uma namorada em potencial. Enquanto jantávamos um medíocre bacalhau com batatas assadas ao molho de tomate e manjericão acompanhado de filé de frango recheado, achei minha língua e entrevistei Ethan sobre sua família. Ele me presenteou com histórias sobre suas três irmãs e as respectivas famílias. Parecia gostar de suas sobrinhas e sobrinhos e se espantar ligeiramente com os aborrecimentos que as irmãs tinham de suportar para criar os filhos. "Ela e o marido os jogam de um lado para o outro como bolas de futebol", disse, descrevendo a irmã caçula, que estava meio perdida depois de dar à luz dois berradores, em um curto espaço de tempo. Os pais de Ethan tiveram um casamento longo e feliz. Conheceram-se em Cornell, onde ambos estudaram com Nabokov. Sua mãe era pintora, e os dois tinham uma galeria de arte. Ethan me contou que a casa da família em Detroit tinha uma escultura minúscula de Henry Moore que guardavam sob uma redoma de vidro. Ele fora para Cornell também. Gostei de Ethan ser tão obviamente ligado à família; o afeto que tinha por seus sobrinhos me lembrava o meu próprio afeto, um tipo complicado de devoção. Depois de alguns copos de Chianti del Cuore, ou o que quer que estivéssemos bebendo, fui capaz de relaxar um pouco as mãos apertadas nos talheres e no guardanapo e lhe fazer um relato sobre minha família. Minha irmã mais velha, professora de psicologia que vive em Orange County, é divorciada e tem uma filha que não vejo com a frequência que gostaria. A seguinte é Carla, professora de ioga e fonoaudióloga; é casada com Ken, e os dois têm um filho chamado Max. Nenhum dos meus irmãos era casado na época; Nick vivia no Japão (ele trouxe de lá a mulher, Yuki) e Matthew era repórter de um jornal de Connecticut (onde mais tarde conheceu a mulher, Elizabeth). Ethan me ouviu com bastante atenção, e, quando veio a conta, deixei que a pegasse, embora ele hesitasse. O restaurante me presenteou com uma caixa de cerâmica em forma de coração, embrulhada em celofane vermelho, o que fez Ethan dar um grande sorriso e exacerbou meu desconforto, embora eu tenha me apegado àquela peça kitsch durante anos e anos.

Em nosso caminho de volta, Ethan tentou encerrar o encontro quando nos aproximamos de seu quarteirão. Eu não estava pronta para deixá-lo partir.

— Você não pode ir para casa agora, são apenas 23 horas. Venha tomar *bourbon* com soda em minha casa — implorei.

Ethan recusou a princípio, mas finalmente concordou, depois que insisti.

De volta ao meu apartamento, preparei nossos drinques. Ethan nunca havia tomado *bourbon* com soda e lima (meu drinque preferido na época) e me cumprimentou pela mistura. Imaginei que aquilo o manteria em minha companhia por mais algum tempo. Para atingir essa meta, ricocheteei sem parar do sofá para o toca-CD, tentando impressioná-lo com o melhor som de minha coleção enquanto me perguntava se o meu traseiro parecia grande demais em minhas calças compridas Chaiken de corte reto e xadrez cinza e marrom quando ficava de pé em frente ao estéreo trocando os discos. Eu não caprichara muito na roupa para o encontro, querendo parecer descontraída, mas não havia despreocupação em minhas intenções. Queria confirmar que Ethan gostava de mim; queria beijar Ethan. Mas não estava conseguindo nada. Ethan continuava enterrado no seu canto do sofá.

— O que é preciso para seduzir você? — finalmente deixei escapar, numa névoa de álcool e ansiedade.

No rosto de Ethan irrompeu um sorriso nervoso que se tornaria muito familiar.

— Acho que deveríamos ser apenas amigos.

O QUE É preciso para seduzir você?

Como foi que, de repente, eu estava incorporando Alexis Carrington, de *Dinastia*. Eu sequer assistia a esse programa As palavras me assombraram em meu sono leve naquela noite. Acordei de ressaca e amedrontada.

"Estava indo tudo muito bem até eu me atirar em cima dele!", exclamei para Ginia e, mais tarde, para Anne ao telefone. (Eu não podia admitir que dissera aquilo.) Na noite seguinte, estava sentada com Jen, recordando o horror do que acontecera muitas vezes antes, quando o telefone tocou. Era Ethan.

"Gostei do nosso encontro", ele disse. "Devíamos fazer isso novamente."

O quê?!

ENTRE ESSE TELEFONEMA e o seguinte de Ethan me envolvi com um fracassado sexy, formado na Universidade de Columbia, mas cuja ocupação naquele momento era desenhar peixes para uma companhia que fazia camisetas vendidas em estâncias balneárias como Paradise Island ou Antígua. Nunca cozinhei para ele. Saíamos geralmente pelos arredores do apartamento dele no East Village, e eu cantava enquanto ele acompanhava na guitarra. "Dead Flowers", dos Rolling Stones, era uma que ele vivia tocando. "Mande flores para o meu casamento", diz a canção, "e não me esquecerei de pôr rosas em seu túmulo". Eric não ocultava o fato de que ainda estava apaixonado por Evgenia. Não há dúvida de que pensava nela quando tocava aquela canção, mas eu cantava com ele assim mesmo. Em noites menos tristes, ficávamos na cama cantando todos os jingles comerciais de que nos lembrávamos. Um pouco trapalhão, Eric também era comovente e cheio da suscetibilidade de um graduado deprimido da Ivy League cujo desempenho estava abaixo do potencial. Tentei atraí-lo para o Brooklyn com a promessa de uma refeição feita em casa — Deus sabe como ele precisava de uma —, mas ele cancelou no último momento, queixando-se de um surto de herpes nos lábios.

Ethan entrou em contato novamente, e planejamos assistir à premiação do Oscar na minha casa. Embora estivesse presa a Eric e suas flores mortas, eu ainda pensava em Ethan o suficiente para me oferecer a fazer o jantar. Consultei Anne, e ela sugeriu algo saudável, indicando que Ethan gostava de comida simples. Fiz uma massa misturada com verduras anticancerígenas e frutos e nozes antioxidantes: *penne*, com molho de brócolis, levemente frito no alho, salpicado de passas e nozes tostadas.

Penne saudável

450 gramas de brócolis (ou um bonito maço de brócolis)
2 colheres de sopa de azeite de oliva, mais um pouco para o acabamento

1 dente de alho picado
1 pitada de pimenta calabresa
½ xícara de passas
Sal
½ xícara de nozes picadas
225 gramas de penne
Queijo parmesão ralado na hora

Lave os brócolis e corte em pedaços pequenos; descarte os caules. Numa frigideira grande o bastante para a massa e os brócolis, ponha o azeite de oliva em fogo médio, depois junte o alho e a pimenta. Quando o alho estiver dourado, junte os brócolis, as passas e uma boa pitada de sal. Frite de 15 a 20 minutos, juntando um pouco de água se a mistura secar muito. Enquanto isso, numa frigideira pequena toste as nozes de 5 a 6 minutos em fogo médio, dando uma sacudida na frigideira de vez em quando. Fique atenta ou elas se queimarão! Quando estiverem tostadas, tire a frigideira do fogo e reserve.

Cozinhe a massa de acordo com as instruções na página 31. Escorra o *penne* e ponha-o na frigideira com os brócolis, depois junte um pouco de azeite de oliva e as nozes tostadas.

Sirva em pratos aquecidos. Sirva o parmesão à mesa. (Se você for intolerante à lactose — Ethan era, mas, de algum modo, o queijo não o afetava — poderá substituir o queijo por 1/4 de xícara de farinha de rosca tostada e ficará igualmente delicioso.) Sinta-se mais ou menos virtuosa por ter comido verduras com os carboidratos.

Rendimento: duas porções, com sobra.

O *Titanic* venceu em quase todas as categorias do Oscar, mas, à diferença de Kate Winslet, não ganhei um beijo no fim da noite. Tudo que Ethan me pediu foi uma sacola para levar as sobras.

Não me considero uma mulher que consegue o que quer desesperadamente — e Deus pode ter boas razões para isso. Nem sou tola o bastante para perseguir aquilo que é, sem dúvida, impossível. Mas Ethan me dava exatamente o suficiente para manter as esperanças. Telefonemas e e-mails aconteciam com regularidade. Voltando de um café da manhã num sábado com minhas amigas, fiquei chocada ao encontrar uma mensagem telefônica dele perguntando o que eu andava fazendo. Eletronicamente, mandávamos bilhetes de um lado para o outro, debatendo os méritos do trabalho solo pós-Beatles de John Lennon versus Paul McCartney. Eu adorava Wings, Ethan preferia Lennon, mas gostava de fato do trabalho de McCartney pré-Wings, então ele gravou para mim as músicas dos dois primeiros álbuns solos de Paul e escreveu o título de cada música na capa, um gesto romântico, se é que houve algum. Enquanto isso, Eric me deu o fora, declarando definitivamente que ainda estava apaixonado por Evgenia. Comprei meu primeiro par de sapatos Gucci e prontamente parei de pensar em por que Eric não me amava e comecei a me perguntar se jogar mais 457 dólares no meu cartão de crédito era realmente uma boa ideia.

Ethan não ia embora. Quando o verão chegou, deu um jeito de aparecer na nossa casa na ilha Shelter todo fim de semana, mesmo sem pagar a cota. Quando analisei esse hábito, fui forçada a admitir que poderiam existir outras razões além de mim pelas quais ele fazia aquilo. É uma ilha, e uma ilha incrivelmente relaxante. Você precisa pegar uma barca para chegar lá, e a viagem dá a sensação de que se deixa tudo para trás. Nossa casa, uma residência paroquial reformada do século XVIII, era tão mágica quanto a ilha. Tinha uma piscina na frente e uma treliça de glicínias no fundo, permitindo que almoçássemos ao ar livre. A casa era de propriedade de uma família cujas pinturas cobriam as paredes. A mobília era aconchegante, e a cozinha, bem equipada. A mesa de jantar acomodava 12 pessoas. Em geral, éramos oito na casa e, frequentemente, convidávamos outros amigos da ilha ou de Hampton para jantares cuidadosamente planejados e muito bem executados.

Chegávamos na sexta e raramente saíamos de casa, exceto para compras no armazém; comprávamos os tomates, as berinjelas, abóboras e o manjericão mais saborosos num balcão onde não havia ninguém para atender, onde os preços eram escritos a giz numa lousa e onde se pagava pondo o dinheiro pela fenda de uma caixa fechada a cadeado. Comprávamos o peixe do Comandante, um militar da marinha aposentado, cuja loja, no porão da casa dele, vendia peixe fresco e frito, embora fosse principalmente o Comandante quem parecia estar sendo cozido. A casa estava cheia de excelentes cozinheiras, sendo Anne a principal delas. Anne ficava por trás e assumia um papel administrativo na maior parte do tempo, dedicando-nos depois algum mimo criativo, como sorvete de lavanda. Outra amiga nova, Astrid, fazia rapidamente tortilhas espanholas, sopa fria de beterraba ou flanco de boi maravilhosamente marinado. Seu namorado, um acadêmico da Polônia, era o mascote desnudo da casa de veraneio; ele gostava de sondar a vida pessoal de todos e dava bons conselhos, administrados ao lado da piscina onde tomava banho de sol nu. Belinda e Jeremy, uma jornalista e um arquiteto da Austrália, não eram cozinheiros, embora sua única confecção — bananas assadas cortadas ao meio com chocolate derretido dentro — tenha sido uma das sobremesas mais memoráveis de um verão completamente abarrotado delas. Na maior parte das noites ficávamos tão empolgados conversando e bebendo vinho que não púnhamos o jantar na mesa antes das 22 horas.

A primeira coisa que fiz para Ethan na ilha Shelter foi uma receita siciliana originalmente da minha avó: halibute cozido com molho agridoce de vinagre de vinho tinto, cebolas, passas e menta. Fui conquistada pela admiração de Ethan por esse prato, que interpretei como um elogio levemente velado a mim. Ele ainda elogiava o prato à piscina no dia seguinte.

Halibute inesquecível

¼ de xícara de azeite de oliva
6 cebolas amarelas, cortadas na espessura de 0,5cm
2 colheres de chá de sal, mais sal extra a gosto
¼ de xícara de vinagre de vinho tinto
2 colheres de sopa de mel
¼ de xícara de groselhas
1 xícara de hortelã fresca picada
1,350 quilos de halibute, ou seis porções (220 gramas cada) de qualquer peixe branco firme — bacalhau, percoide, lúcio ou linguado também funcionarão bem

Azeite de oliva para pincelar
Pimenta moída na hora

Preaqueça o forno a 230 graus.

Aqueça o azeite de oliva numa frigideira grande em fogo médio/alto. Junte as cebolas e salpique uma colher de chá de sal. Cozinhe as cebolas, mexendo-as ocasionalmente, até que estejam moles, de 15 a 20 minutos. Junte o vinagre, o mel e cozinhe durante 5 minutos. Depois acrescente as groselhas e ½ xícara de hortelã picada, cozinhe por mais alguns minutos e prove para ver se precisa de sal (ponha mais sal, se necessário).

Pincele o halibute e a vasilha onde será assado com azeite, salpique o peixe com 1 colher de chá de sal e cubra-o com as cebolas. Asse durante 15 a 20 minutos, dependendo da espessura do peixe.

Remova o peixe para o prato onde será servido e salpique-o com pimenta moída na hora e o resto da hortelã.

Rendimento: 6 pessoas

Não precisava pressionar Ethan para que fosse à minha casa nas sextas à tarde, ele sempre sugeria isso. Eu podia preparar o jantar mais cedo graças ao tradicional horário de verão das editoras. Sendo escritor, Ethan estava livre para me acompanhar, e fazia isso. Ia comigo às compras, ficava na cozinha enquanto eu preparava e cozinhava o jantar, depois se sentava no sofá e bebia vinho enquanto esperávamos os outros chegarem. A conversa não parava em nenhum momento, estivesse eu tentando convencê-lo a gostar de mim (o que não conseguia evitar depois de um copo ou dois de vinho), ou falando sobre a minha banda favorita, Pulp. A última ele não tolerava, mas, em relação ao primeiro assunto, bem, nunca conseguia se sair com um argumento convincente para os dois lados da questão.

Ethan se animou em relação a mim o bastante para permitir que a mão ou outra parte dele encostasse em alguma parte não ameaçadora do meu corpo sempre que nos sentávamos juntos. Uma vez, não inteiramente em consequência de meus próprios movimentos, encontrei-me tão próxima dele que um beijo era praticamente inevitável. Ethan não me afastou, nem reagiu com muita paixão. Então, o telefone tocou, e era hora de buscar nossos amigos na barca. Sozinhos na casa novamente na sexta-feira seguinte, tentei recomeçar de onde havíamos parado enquanto esperava que uma panela de água fervesse para o *linguine* que eu cobriria com molho de camarões, vieiras e vinho branco. Aquele velho sorriso de Ethan voltou enquanto ele reiterava suas intenções amigáveis em relação a mim. Fui salva de qualquer explicação desanimada que ele estava a ponto de oferecer pela irrupção de bolhas por baixo da tampa da panela.

— Por mais que me importe com você, o que mais me preocupa agora é preparar o jantar — gorjeei, fugindo para a cozinha e pondo uma capa de falsa alegria enquanto preparava:

Linguine com peixinhos amigáveis

(Adaptado de Jennifer Romanello)

2 colheres de sopa de azeite de oliva, mais algum para o acabamento
1 dente de alho picado

1 pitada de pimenta calabresa
225 gramas de camarão (compre-os já limpos, se estiverem disponíveis, e remova as caudas)
225 gramas de vieiras, do mar ou da baía (se for do mar, corte em quatro pedaços)
½ xícara de vinho branco seco
450 gramas de *linguine*
½ xícara de salsa picada

Este é um molho rápido e fácil que pode ser feito enquanto a massa cozinha; você não deve cozinhar o peixe por muito tempo, ou ele ficará seco.

Numa frigideira média, aqueça o azeite e depois junte o alho e a pimenta. Frite por 2 a 3 minutos até o alho ficar dourado, depois junte o peixe e o vinho branco. Cozinhe até o camarão ficar rosa, e a vieira, completamente branca.

Enquanto isso, prepare o *linguine* segundo as indicações na página 31. Escorra bem e junte a massa ao peixe, mexendo devagar. Ponha um borrifo de azeite de oliva e a salsinha picada, depois divida em pratos aquecidos. *Não se serve queijo* com macarrão ao molho de peixe. (Minha mãe faz isso, mas é um mau hábito.)

Rendimento: 4 porções como prato principal; 6, se for a entrada.

Pequenas decepções e golpes esmagadores abundavam, mas eu e Ethan ficamos, de fato, mais próximos naquele verão. Além de gostar de comer, ambos gostávamos de andar de bicicleta, e, para isso, as condições na ilha Shelter são ideais. Exploramos juntos cada recanto da ilha, pedalando por horas enquanto tagarelávamos sobre os nossos companheiros da casa eternamente divertidos e suas relações precárias. Na metade do verão, Robert deu o fora em Astrid por uma mulher mais jovem que conhecera na Polônia. Ela parecia uma modelo, mas tinha a energia de um cisne moribundo. Ele voltou para Astrid antes do fim do verão; nenhum grau de beleza ou juventude podia comparar-se àquela mulher na cozinha. E o que havia com Hank, namorado de Stacey? Ele chegava à casa com uma mala de viagem de rodinhas cheia de trabalho, mas não estava envolvido em nenhum projeto, pelo que sabíamos. O pai de Stacey tinha perguntas semelhantes sobre a autenticidade de Hank e arranjou um investigador particular para saber sobre ele, me contou Ethan. Ethan se preocupava com a amiga, mas queria gostar de Hank. Eu também, especialmente porque o desejo de Hank de ver Ethan e eu juntos rivalizava com o meu. Ele agia como nosso conselheiro de casais, tentando mais que nunca extrair informação de Ethan sobre sua relutância em se envolver. Ele o interrogava durante o jantar, durante os drinques na varanda, durante o nado no lago, corridas e caminhadas. Eu acompanhava todas as suas pesquisas.

— O que faremos quando o verão acabar? — perguntou Ethan quando saltamos das bicicletas em Shell Beach, um quebra-mar que entrava cerca de 500 metros para dentro da baía, onde sempre dávamos uma parada em nossas voltas semanais de bicicleta. Eu não sabia por que ele estava tão preocupado, pois éramos apenas amigos e tudo o mais, mas eu queria ajudar.

— Eu o convidarei para jantares — respondi, esperando poder conquistá-lo nos meses mais frios com meu talento como anfitriã. No caminho de volta, passamos por Crescent Bay, que dá para oeste, exatamente quando o sol estava se pondo. Nossos colegas da casa se perguntavam o que tramávamos naqueles longos passeios de bicicleta. Eu me perguntava se aqueles longos passeios eram tudo o que poderíamos fazer.

Quando veio o outono, saíamos em encontros duplos com Stacey e Hank, embora apenas um dos casais estivesse namorando. Numa noite, quando tomávamos *margaritas* em TriBeCa, Hank começou a interrogar Ethan sobre nós sem parar. Fiquei sentada lá, me divertindo. Ethan, normalmente tão reticente, não ficou constrangido; na verdade, parecia gostar da atenção tanto quanto eu. Hank convenceu-o a ir para casa comigo naquela noite. Quando chegamos ao meu apartamento, encontramos meu irmão Nick lá; ele estava na cidade sem lugar para ficar, então havia entrado para passar a noite. Era impossível explicar qual era minha relação com Ethan, embora fosse muito mais inocente do que meu irmão poderia pensar. Não, não estávamos ali para uma noite de paixão selvagem, estávamos no curso de um encontro terapêutico, e íamos simplesmente nos beijar.

— Podemos ir para a minha casa — disse Ethan, mas eu queria ficar em meu próprio terreno, então rapidamente despachei Nick para o apartamento de seu amigo Al em Sheepshead Bay.

Quando estávamos a sós, Ethan fez a revelação realmente bombástica de que conversara a meu respeito com seu terapeuta, mas não contou o que dissera. Evidentemente, Ethan estava lutando com seus sentimentos em relação a mim; eu apenas não conseguia entender por que era uma luta tão grande. Nós nos beijamos sim, com *Fulfillingness' First Finale*, de Stevie Wonder, tocando ao fundo. "Há dias mais felizes à frente", dizia a primeira canção. Nós nos beijamos durante todo o álbum, e Ethan foi para casa quando acabou.

A BASE DE nossa relação continuou sendo a música. Ethan me convidou para cantar com sua banda. Eu nunca cantara realmente na frente de ninguém, exceto com o rádio ou os CDs no carro, e ele esperava que eu fizesse isso na frente de seus amigos, que eu acabara de conhecer. Uma garrafa de Budweiser do engradado que compramos ajudou a aliviar a tensão, e o meu desempenho foi melhorando à medida que a noite avançava. Peguei o microfone e fiz declarações impudentes com grande timidez. Cantei "Burning Up", de Madonna (incrivelmente apropriado), e "You Shook All Night Long", do AC/DC (nem tanto). A agilidade de Ethan com a linha de abertura da guitarra em "And Your Bird Can Sing", dos Beatles, uma frase musical incrivelmente complicada, foi muito boa. Quando nos cansamos de tocar, fomos a um pub próximo para hambúrgueres e mais cerveja. Foi uma parceria bem-sucedida o bastante para repetirmos a experiência muitas vezes, sempre começando com uma cerveja e continuando pelo nosso repertório de rock e clássicos pop. A banda parecia uma solução construtiva para todos os meus sentimentos não correspondidos. Desistira de algo mais entre nós.

Mas talvez isso tenha acontecido porque, de alguma forma, intuí que Ethan estava a ponto de mudar de ideia.

"Você ficou bonita para o seu encontro", ele me disse no elevador a caminho da sala aonde íamos ensaiar com a banda. Eu o informara de que não comeria os nossos sanduíches de sempre depois da sessão de música, e podia dizer pela voz de Ethan que ele não estava exatamente entusiasmado com o meu encontro. Nem eu deveria estar: Daniel Eisenberg, o cara com quem eu estava saindo, me daria o fora durante o jantar naquela noite, usando uma frase de Liz Phair para explicar-se. "Não sei me expressar bem",* me disse. Desejei que simplesmente tivesse "expressado" pelo telefone seu desejo de não me ver mais para que eu pudesse ficar com meus colegas da banda em vez de me arrastar para um jantar que não pude usufruir enquanto ele me explicava por que não "nos conectávamos".

Minha reação foi pior do que deveria, pois Daniel e eu só saíramos poucas vezes. Mas a combinação daquela decepção marginal à sombra da situação com Ethan simplesmente me fez perder a esperança. Ali estava um homem com quem eu tinha compatibilidade em tudo, um homem em cuja companhia eu ficava muito à vontade e feliz e cujos sentimentos por mim não pareciam diferentes, mas não ficava ou não podia ficar comigo por alguma razão misteriosa.

Era realmente digno de riso. Eu ri de mim mesma num dia de folga no trabalho e numa sessão extra de terapia. Rindo, fiz Ginia vir para o café da manhã para me consolar no sábado e depois, com risadas, aceitei meu quinhão. O amor simplesmente não aconteceria. Decidi que estava bem para mim. Era Halloween. Vesti o traje da aquiescência; meu sobrinho de 4 anos, Max, fantasiou-se de aspirador de pó Hoover. Fomos às traves-

---

* "I'm a complicated communicator", no original. É o trecho de uma música de Liz Phair intitulada "Big tall man". (*N. da T.*)

suras-ou-gostosuras, e depois telefonei para Ethan para confirmar os planos para aquela noite. Íamos juntos a um jantar.

"Alôôôô, fofura!", chilreei quando telefonei para ele. O cumprimento era autêntico. Não tinha ressentimento dele, essa era minha vida; estava tudo bem. Antes do jantar, encontrei com ele em seu apartamento. Eu nunca o visitara antes. Foi interessante ver em cima do estéreo uma pilha de CDs de Stevie Wonder novos em folha. Teria isso alguma coisa a ver com o fato de eu ter tocado Stevie Wonder para ele na última vez que viera à minha casa? Antes disso ele não confessara que gostava. Ele os colocou em seu toca-CD de cinco CDs e apertou o botão. Explicou que esse era o seu modo de absorver música nova. Gostei da ideia, mas não poderia executá-la, tendo, na época, apenas um Discman Sony ligado ao equipamento que tinha desde o ensino médio.

Parecia cada vez mais que algo acontecia com Ethan quando ele me acompanhou a uma festa depois do jantar. Já eram 23h30, e ele, geralmente, gostava de estar em casa por volta da meia-noite. Terminamos sentados no aquecedor em frente à janela, falando apenas um com o outro, contando nossas histórias sobre "a primeira vez que". Depois disso, Ethan, que normalmente me deixava na esquina, me levou até a minha porta. Ali ele proferiu as palavras mais românticas que um homem já disse a uma mulher: "Posso ir ao seu apartamento? Preciso fazer xixi." Ele vivia a apenas alguns quarteirões; foi quando eu soube com certeza que Ethan procurava algo mais que apenas meu vaso sanitário.

Passamos meia hora olhando um livro com expressões em ídiche que eu tinha na mesa de café, presente do meu autor

Henry, que sabia que eu era entusiasta de ídiche. Ethan gostava especialmente de todas as palavras que tinham a ver com *tuches*. Precisei me debruçar por cima do livro para beijá-lo, mas ele não resistiu. Depois que nos beijamos durante uma canção ou duas (*Fulfillingness' First Finale* novamente, dias melhores cada vez mais iminentes), Ethan parou e me abraçou longamente. Sua rendição era palpável. Até mesmo quando nos deitamos juntos na minha cama, eu não estava convencida de que alguma coisa aconteceria e, ainda assim, não estava inclinada a forçar nada. Vesti uma camisola sexualmente conservadora. Não fiquei com ela.

"Sem precedentes", foi como Ethan intitulou o que aconteceu nas quatro horas seguintes. Mais tarde examinei a expressão, tentando extrair mais significado dela. Fiz isso com *auspicioso* também. Foi a palavra que ele dedicou ao Drovers Tap Room, lugar onde nos conhecemos.

Essas palavras foram atiradas de lá para cá num café da manhã de pão de abóbora com nozes que sobrara de um convite de consolação de Ginia na manhã anterior, quando eu lamentava o homem que não se expressava bem. Como tudo mudara em apenas 24 horas!

Pão de abóbora da manhã seguinte

(adaptado de Vern Bertagna, *Bon Appétit*)

½ xícara (½ barra) de manteiga mole
1 ½ xícara de açúcar
2 ovos grandes
1 xícara de abóbora cozida

1 ½ xícara de farinha com levedura
½ colher de chá de cravos-da-índia moídos
½ colher de chá de canela moída
½ colher de chá de gengibre
½ xícara de nozes picadas

Preaqueça o forno a 170 graus.

Passe manteiga e farinha numa forma de 25cm. Bata a manteiga e o açúcar num misturador a meia velocidade, depois junte os ovos e a abóbora. Ponha a farinha com as especiarias em outra vasilha, junte a mistura de abóbora, misture as nozes e ponha tudo na forma já untada.

Cozinhe até que o palito colocado no meio do pão saia seco, cerca de 1 hora e 10 minutos. Deixe o pão esfriar na forma, fora do forno, durante 10 minutos, depois solte as beiradas do pão com uma faca e vire na grade para esfriar completamente.

Rendimento: 6 a 8 porções.

Naturalmente, uma noite juntos não significava necessariamente que Ethan era meu. Mas os nove meses de iniciação indicavam que esse homem não era governado por caprichos. A agitada exibição que eu testemunhara no sábado à noite havia traído alguns sentimentos fortes por parte de Ethan. Mesmo assim, por mais sonhadora que me sentisse depois do que havia acontecido, não me permiti ser dominada por fantasias. Mas quando Ethan telefonou na terça-feira para ver o que eu estava a fim de fazer, só pude pensar numa coisa: queria fazer um jantar para ele.

Fiz um risoto com sabor e cheiro fortes com queijo Taleggio e corações de alcachofra. Muito como o amor, o risoto requer um bocado de trabalho e paciência. Tudo isso ficara para trás comigo e Ethan, ao menos naquele momento, e eu estava pronta para dar umas vigorosas mexidas em homenagem aos velhos tempos.

Risoto com corações em camadas intricadas

4 xícaras de caldo de galinha quente
2 colheres de sopa de manteiga sem sal
½ cebola pequena picada
1 xícara de arroz arbório ou carnaroli
¼ de xícara de vinho branco
1 xícara de corações de alcachofra enlatados, picados
½ xícara de queijo Taleggio em cubos
Sal a gosto
Pimenta moída na hora

Conserve o caldo de galinha no fogão em fogo médio.

Numa frigideira ou panela grande, derreta 1 colher de manteiga em fogo médio e junte a cebola. Cozinhe até a cebola ficar transparente, cerca de 2 minutos, depois junte o arroz e toste-o com a manteiga e a cebola até que os grãos fiquem translúcidos, cerca de 2 minutos. Junte o vinho, mexendo constantemente, até que seja absorvido, depois comece a juntar o caldo de galinha colher por colher, mexendo até que o líquido seja absorvido pelo arroz.

Continue a juntar o caldo e a mexer o risoto até que esteja cremoso e os grãos mais moles, mas não como mingau. Comece a provar o risoto depois de mais ou menos 15 minutos para checar a textura, mas ele vai exigir de 20 a 25 minutos de vigilância sem parar de mexer. (Pro inferno, você esperou nove meses por Ethan, o que é mais meia hora?) Se o caldo acabar, ou o risoto precisar cozinhar mais, use água aquecida na panela em que estava o caldo.

Quando estiver satisfeita com a textura do arroz, remova-o do calor, junte a colher remanescente de manteiga, os corações de alcachofra e o Taleggio, dê mais uma mexida, prove para ver se está bom de sal, deixe descansar por 1 minuto e sirva com pimenta moída na hora.

Rendimento: 2 porções.

Eu estava tão animada com essa relação, há tanto tempo desejada e finalmente minha, que, nas primeiras semanas, mal podia dormir quando Ethan estava em minha cama. Pulava da cama cedo, ia direto para a cozinha e começava a guardar os pratos da noite anterior. Guardar todas aquelas panelas e frigideiras numa prateleira fazia um barulho razoável. Pedi desculpas pelo barulho.

"Na verdade, acho-o reconfortante", ele me disse.

Ethan amava tudo que tinha a ver com comida e ser consultado sobre ela. O que funcionava bem, porque, quando ficamos juntos, fui dominada por um impulso de cozinhar além de tudo que sentira antes. Fiquei com ciúme de Anne e de todas as comidas maravilhosas que ela devia ter feito para ele. Era assombrada por pensamentos delas do mesmo modo que outras mulheres podem perturbar-se com visões de acrobacias complexas que o namorado executou na cama com namoradas anteriores. Não que eu não me preocupasse com isso também. Mas cozinhar era uma coisa minha. Cozinhar me relaxava. Isso se tornou, ao lado de Ethan, a coisa mais importante. Era uma forma de dar sentido ao meu caos interior. Existe lógica e ordem em cozinhar. Sua dedicação à comida relaciona-se diretamente com o resultado que obtém. O amor não é tão predeterminado.

Ethan e eu falávamos um bocado sobre o que íamos comer. Enquanto um telefonema para perguntar sobre o jantar irritava Kit, para Ethan era uma pausa bem-vinda na escrita. Ficávamos ao telefone e discutíamos os prós e contras de vários pratos durante horas, todas pagas pelo meu patrão. Às vezes, comíamos fora, mas era mais frequente usar o computador para procurar no site epicurious.com alguma receita que satisfizesse os estados de espírito de Ethan. Esse salmão com manteiga de limão e estragão tornou-se uma refeição diária simples para nós, embora possa impressionar o suficiente quando apresentado numa cama de lentilhas, para servir aos convidados.

Jantar de terça-feira à noite

Essas receitas dão para dois, mas podem ser duplicadas.

Salmão com manteiga de limão e estragão

(adaptada de epicurious.com)

3 colheres de sopa de manteiga sem sal
Suco e casca ralada de um limão grande
Pimenta moída na hora
2 filés de salmão
Sal
1 ½ colher de sopa de estragão fresco e picado

Numa panela pequena, em fogo baixo, misture a manteiga com o suco e a casca do limão, remova do fogo.

Ponha o salmão virado do lado da casca numa forma de assar. Pincele com metade da mistura de manteiga, tempere com sal e pimenta. Asse o salmão até que esteja cozido, cerca de 20 minutos (não há necessidade de virar o peixe).

Transfira para os pratos. (A pele do salmão ficará colada na forma. Sempre pensei que deveria usar essa iguaria para fazer sushi, mas nunca fiz.) Junte o estragão, a manteiga e o limão remanescentes. Ponha colheres desse molho sobre o salmão e sirva o peixe com lentilhas.

Cozido de lentilha francesa

(adaptado de Nigella Lawson, *The New York Times*)

1 cebola chalota
1 dente de alho
½ talo de aipo
½ cenoura sem casca
2 colheres de sopa de azeite de oliva
1 xícara de lentilhas francesas
½ colher de chá de tomilho
1 folha de louro
1 ½ colher de chá de sal

Pique bem a cebola chalota, o alho, o aipo e a cenoura. É mais fácil fazer isso num processador. Aqueça o azeite de oliva numa frigideira em fogo médio. Quando o azeite estiver quente, junte as verduras e cozinhe até que amoleçam (cerca de 5 minutos), depois junte 3 xícaras de água, as lentilhas, o tomilho, a folha de louro e o sal. Deixe ferver em fogo baixo, depois diminua mais o fogo. Deixe as lentilhas cozinharem durante 20 a 25 minutos. Quando estiverem macias e tiverem absorvido a maior parte da água, estarão prontas para servir; se ainda estiverem um pouco duras, junte água e cozinhe até amolecer.

Rendimento: 2 porções

Salada de rúcula baby e abacate

(adaptado de Levana Kirschenbaum)

2 xícaras de rúcula baby
1 pé de endívias pequenas
½ abacate
1 ½ colher de sopa de azeite de oliva
1 ½ colher de chá de vinagre de maçã não filtrado
½ colher de chá de sal marinho
Pimenta moída na hora

Lave e seque a rúcula. Corte a endívia transversalmente em pedaços de 0,5cm. Corte o abacate em pedaços de 1,25cm. Ponha tudo isso em uma vasilha grande com o azeite e o vinagre, depois adicione sal e alguns grãos de pimenta preta moída.

Dá para duas pessoas.

Ethan cumprimentava os jantares que eu fazia em e-mails selados com um beijo (BJK, diziam, à maneira das garotas da quarta série assinando as agendas umas das outras; eu amava isso). Ele era tão entusiasmado em relação a mim quanto em relação à minha comida. Elogiava pessoalmente meu rosto, dizendo que eu tinha um "bonito *punim*". Era um namorado mais afetuoso do que sequer sonhei que seria, e o que é mais: mais afetuoso do que sequer imaginei que qualquer namorado seria. Ele era o Santo Graal dos namorados, um companheiro do sexo oposto tão divertido e fácil de estar como uma amiga — até melhor que uma amiga, pois tínhamos sexo também. O que nunca fui inclinada a fazer com uma amiga — não importa o quanto adorasse todas elas — e mesmo tendo frequentado a Sarah Lawrence — lugar onde se diz que você acabará fazendo.

Não havia ninguém no mundo com quem eu me sentisse mais feliz que com Ethan. Ele era a pessoa mais importante da minha vida; vinha antes dos meus amigos; vinha antes da minha família. Ele me raptou para nosso mundo pequeno e particular. Saudei o distanciamento. Tínhamos a comida, tínhamos a música e, na cama, tínhamos prazer e risadas em igual medida. Tínhamos, principalmente, misantropia. Inventávamos pequenas situações maldosas e canções sobre nossos parentes e conhecidos, nenhuma das quais posso compartilhar. Acreditem, eram hilariantes, mesmo que apenas Ethan e eu fôssemos capazes de compreender completamente como eram engraçadas.

Nunca vou rir tanto como na noite em que fiz sopa demais para nós. Era um domingo frio de inverno, e eu havia acabado de adquirir um caldeirão de 12 litros. Eu o enchi de galinha, verduras e ervas e finalizei com macarrão e almôndegas pequenas. Mas éramos apenas Ethan e eu para aqueles 12 litros. Como sou muito parecida com meu pai, fiquei preocupada com desperdício, então comi três pratos, e Ethan, dois. Estávamos nos divertindo tanto à mesa que, quando o telefone tocou, não me preocupei em me levantar para atender. Mais tarde, naquela noite, olhei a mensagem. Era do amigo de Ethan, David, morador de Manhattan que, por acaso, estava nas imediações com a namorada e queria fazer uma visita. Eu me xinguei por não ter atendido o telefone. Eles podiam ter tomado um pouco da sopa!

Mais tarde, na cama, Ethan caçoou da minha preocupação com isso. Brincamos que pegaríamos o caldeirão, amarraríamos em uma caminhonete e o dividiríamos na reunião de Ethan com os redatores da MTV no dia seguinte. Enquanto estivéssemos distribuindo conchas de sopa para eles, Ethan baixaria uma lei de que as namoradas deles tinham de se registrar para o serviço da sopa. "Então, Rick, posso inscrever a sua Ilene para preparar uma sopa de batata e alho-poró?", ele disse, imitando a voz de um velho do Brooklyn. O pensamento de Ilene Rosenzweig, editora de jornal e empresária de design que tem seu lado doméstico, mas não é de forma alguma a *balabusta** que eu era, fazendo sopa para a reunião dos redatores me fez rir tanto que fiquei sem ar enquanto lágrimas escorriam dos meus olhos. Continuei a acordar durante a noite às gargalhadas pensando naquela frase. Ethan acordou e me encontrou dobrada, segurando o estômago; então, começou a rir também.

Ethan raramente saía do meu lado, mesmo quando não era hora do jantar. Quando comprei uma bicicleta, ele comprou a versão masculina da minha. Ele ia ao meu cabeleireiro, Randall. Marcávamos hora juntos. Enquanto Ethan cortava, eu ficava com folhas metálicas nos cabelos, esperando as minhas luzes pegarem. "Se você não se importa que ele veja isso, deve ser amor", sentenciou Randall. Mesmo as pessoas que não nos conheciam achavam que éramos um par perfeito; quando esbarramos com Henry almoçando com uma de suas

* Dona de casa. (*N. da E.*)

"ex", mais tarde ele me contou que ela apontou para nós e disse: "Aquele é um casal feliz."

Eu levava Ethan a festas de lançamento de livros e jantares com escritores, onde ele abordava o tema da minha insatisfação com a carreira, coisa que eu não estava pronta para enfrentar. "Você está escondendo seu talento", dizia. Eu concordava, mas não queria pensar naquilo. Em vez disso, sublimava minha criatividade fazendo comida para Ethan. Eu não queria nada mais que aquilo, ou, ao menos, era o que dizia a mim mesma; queria apenas ser mulher dele. Ele poderia ser o artista enquanto tranquilamente admirava todas as minhas loucuras, como a frase "o que é preciso para seduzir você?", que, uma noite, confessou ter sido a coisa mais adorável que já ouvira.

Ethan gostava até das expressões absurdas de minha mãe, como "o que há de novo no mundo dos esportes?", cumprimento que ela fazia apenas para ele, e "este é por nós, vida longa a todos", seu brinde em todas as refeições. Está claro de onde veio meu talento para expressões estranhas. Como Ethan podia apreciar e até contribuir para a loucura, ele se ajustava perfeitamente. Não pude deixar de achar um tanto ridículo o tio rico de Ethan — cuja mulher nos mandava ao supermercado todas as vezes que visitávamos a propriedade deles, com uma enorme lista de compras que incluía todos os tipos de suprimentos necessários para a família durante o verão inteiro (tudo, de ketchup a detergentes e lâmpadas) e depois criava dificuldade quando Ethan pedia o reembolso. Mas, por trás do leve desprezo por aqueles aos quais estávamos presos desde o nascimento, havia toda uma reserva de amor e lealdade. Ethan era muito devotado à família, e eu queria ser parte disso e queria que ele fosse parte da minha.

O que implicava viajar de avião várias vezes. Fui a Detroit, Tucson e Des Moines, lugares que jamais visitara antes e que fiquei perfeitamente feliz em conhecer. Ethan foi o primeiro namorado cuja família conheci. Nunca fora a Dakota do Norte para conhecer a mãe de Kit, o que sempre preocupou minha própria mãe, o suficiente para ela gentilmente me provocar de vez em quando: "Por que ainda não conheceu a mãe dele?" Aqui, em marcante contraste, fiquei entusiasmada por Ethan se importar o bastante para me apresentar às irmãs, aos primos, sobrinhos e às sobrinhas. Víamos muito mais membros da família dele que da minha — não temos realmente muito em comum com nossos primos americanos em primeiro grau, temos alguns primos em segundo e terceiro graus em Pittsburgh, que visitamos de vez em quando, e um monte de primos na Itália que adoramos (provavelmente porque estão na Itália). Nas viagens para visitar a família de Ethan, com frequência eu acabava fazendo a comida, quando seu tio, o "comandante" da família, não nos levava para comer fora. Espalhou-se que eu era competente na cozinha, e se, a princípio, eu pulava para agarrar a oportunidade de impressionar a família dele com um risoto primavera improvisado ou um inesperado bife à *bourguignon*, finalmente fiquei aborrecida quando todo mundo esperava que eu fosse responsável por todas as refeições.

A mãe de Ethan fora uma mulher com a firme convicção sobre a importância de cozinhar para agradar ao homem dela, assim como eu em relação ao meu. Infelizmente, na época em que a conheci ela sofria de demência, que a atingira numa idade injustamente precoce. Mas como queria conhecer a mãe do homem que amava, eu passava um bom tempo daquelas visitas a sós com ela. Dávamos longos passeios juntas e até conseguíamos fazer rir uma à outra com críticas severas aos jardins dos vizinhos. Ethan e o pai ficavam em casa vendo o Aberto Francês ou o filme *Ânsia de amar* na TV, o último dos quais achei algo perturbador quando entrei na sala nos últimos momentos.

Ethan, querendo que eu visse a pessoa que sua mãe era quando jovem, mostrou um exemplar de seu livro de receitas favorito, *Thoughts for Buffets*. Nas margens, ela escrevera lembretes sobre a reação do marido a cada prato: "Allen gostou!", diziam, ou "Menos sal da próxima vez!" Dei risadinhas de suas inclinações de dona de casa pré-feminista, mas não tinha razão para isso. Eu era da mesmíssima natureza que ela.

Quando voltamos para casa de nossa primeira viagem — a Iowa para o aniversário de 40 anos da irmã dele — perguntei a Ethan se ele me amava. Respondeu afirmativamente sem nenhuma gagueira. Dali em diante, dizia que me amava sem eu esperar. Mesmo assim, não sei se era eu, ou o fato de ter levado tanto tempo para conquistá-lo, ou a noite da semana que ele insistia em passar em seu próprio apartamento, mas, de alguma maneira, nunca parei de sentir que estava a uma refeição de distância do amor de Ethan. Eu gostava de brincar que ia à Escola de Culinária Ethan Binder, porque, em meu inexaurível impulso de agradá-lo, me meti no terreno de levar a cabo feitos gastronômicos bem-sucedidos que não tentaria em outras circunstâncias.

Na época do Pessach, fiz uma páscoa judaica para Ethan, tirando dois dias de folga do trabalho para preparar os muitos pratos tradicionais desde o início. Essa aventura me enlouqueceu. Esgotada após o primeiro dia na cozinha, fiquei irritada com Ethan. "Sua religião odeia as mulheres!", gritei para ele quando o recebi à porta naquela noite.

Ethan, que não gosta de confrontos, ficou na defensiva: "Não pedi a você que fizesse isso!" Era verdade, não pedira, mas eu precisava descontar a raiva em alguém. Familiarizada com o Velho Testamento, sabia que era melhor não descontar em Jeová. Ethan reagiu bem à minha ira, aparecendo com rosas na mão quando veio para o evento propriamente dito.

Fiz bolas de *matzo* e as coloquei no caldo de galinha caseiro que ficara em fervura lenta o dia inteiro no fogão; cortei maçãs em fatias finas e tostei e moí nozes para o *haroseth*; ralei rábano silvestre com a mão para salpicar em cima. Usei a receita do peito de boi da mãe de Ethan, que, como a receita da mãe do meu namorado anterior, continha a mistura para sopa de cebola, assim como molho de pimenta. Foi o que fiz e ficou perfeito, mas vou poupar você, leitor, do Lipton and Heinz, e lhe dar, em vez disso, esse maravilhoso peito agridoce (que, de fato, inclui Coca-Cola), de Levana Kirschenbaum, guru da cozinha *kosher* de Jen Warren. Às vezes, vou com Jen às aulas dela. Levana se orgulha da simplicidade de suas receitas. "Se isso é difícil, então nada é fácil", diz. Ela é uma professora inteligente e envolvente e até esta *shiksa** aqui colhe uma ou duas dicas úteis quando está lá — como preservar limões, por exemplo (coloque-os numa jarra com sal e armazene-os durante três semanas). Incapaz de deixar de intervir com um pouco da minha própria cultura, fiz *broccoli di rape* — não é uma erva, mas pode ficar amarga se não for preparada corretamente.

---

* Termo pejorativo para menina ou mulher não judia. (*N. da E.*)

Uma Páscoa para os não crentes

Peito agridoce de Levana Kirschenbaum

1 cebola média sem casca e cortada em 4
1 pedaço de gengibre de 5cm sem casca
6 dentes de alho sem casca
½ xícara de mostarda Dijon
½ xícara de vinho tinto
½ xícara de Coca-Cola
½ xícara de ketchup
¼ de xícara de mel
¼ de xícara de vinagre de cidra
¼ de xícara de molho de soja
½ xícara de azeite de oliva
1 colher de chá de cravos-da-índia em pó
1 colher de chá de pimenta moída grossa
1 peito de primeiro corte, com cerca de 2,5 a 3kg

Preaqueça o forno a 175 graus.

Ponha a cebola, o gengibre, o alho e a mostarda num processador até a mistura ficar cremosa. Acrescente os ingredientes marinados restantes e processe por mais alguns segundos.

Ponha o peito numa forma grande o bastante para acomodar apenas ele, depois espalhe o molho processado em cima, cubra bem apertado com papel laminado e asse durante 2 horas. Depois de 2 horas, vire o peito e asse por mais 1 hora sem o papel laminado.

Leve o peito a uma tábua de cortar carne e cubra-o com o laminado. Passe o líquido que ficou na forma por uma peneira e coloque-o numa frigideira pequena em fogo médio, reduzindo-o para cerca de duas xícaras. Quando o peito esfriar, corte-o em fatias pequenas e regue com o molho. Disponha o molho à mesa.

Rendimento: 8 a 10 pessoas.

Broccoli di Rape

900 gramas de brócolis *di rape* (ou brócolis *rabe*, seja lá como o vendedor chame este brócolis mais amargo típico da Itália)
Sal
2 colheres de sopa de azeite de oliva
2 dentes de alho picados
1/8 de colher de chá de pimenta calabresa

Ponha uma panela grande de água em fogo alto. Prepare uma vasilha grande com água e gelo. Corte os talos grossos dos brócolis e quando a água começar a ferver, junte o sal e depois os brócolis. Escalde durante 3 minutos (para remover um pouco do amargor), depois escorra e ponha no banho gelado.

Aqueça o azeite de oliva numa grande frigideira em fogo médio, depois junte o alho e a pimenta. Quando o alho estiver dourado, escorra os brócolis, retire o excesso de água deles e ponha-os na frigideira. Abaixe o fogo e cozinhe durante cerca de 10 minutos para ter brócolis crocantes, 20 minutos para brócolis macios; junte um pouco de água à frigideira se ela secar muito.

Rendimento: 6 pessoas.

Sopa de galinha

Os componentes de uma boa sopa de galinha são muito flexíveis e variações desta receita provavelmente funcionarão bem.

900 gramas a 1,5kg de qualquer combinação de partes da galinha, ou um frango inteiro, incluindo a moela
1 cebola média sem casca cortada ao meio
2 talos de aipo (se tiverem folhas, deixe)
2 cenouras sem casca, partidas ao meio
1 cheruvia, sem casca e cortada em quatro partes iguais
¼ xícara de salsinha picada
¼ de xícara de endro
2 colheres de sopa de sal
Endro para decorar

Ponha todos os ingredientes num caldeirão de 8 litros, encha com cerca de 3 litros de água (suficiente para cobrir os ingredientes e um pouco mais), leve a fogo médio/alto e deixe ferver. Quando a água estiver borbulhando, use um coador para retirar a espuma que sobe à superfície. Mantenha a sopa em fervura lenta e deixe cozinhar durante 1 hora.

Retire todos os sólidos com uma peneira; você pode usar a galinha para fazer uma salada, ou remover a gordura, cortar a carne em pedaços pequenos e pôr na sopa com as bolas de *matzo*, se estiver a fim de algo mais substancioso. Enfeite cada vasilha com um raminho pequeno de endro cortado com uma tesoura.

Você pode fazer essa mesma sopa e, em vez de bolas de *matzo*, colocar as almôndegas pequenas da página 216. Não há necessidade de dourá-las previamente, basta deixar cozinhar no caldo, e faça o mesmo com uma xícara de talharim de ovos 10 minutos antes de servir.

Bolas de *matzo*

4 ovos
4 colheres de sopa de azeite de oliva
4 colheres de sopa de água mineral com gás fria
1 colher de chá de sal
¼ de colher de chá de pimenta branca
1 xícara de farinha de *matzo*
Sal para a água
Endro para decorar

Numa vasilha média, misture rapidamente os ovos e o azeite, junte a água gasosa, o sal, a pimenta e depois misture aos poucos esses ingredientes com a farinha de *matzo*, mexendo sem parar até que estejam perfeitamente misturados. Cubra a vasilha com filme plástico e ponha no refrigerador por 15 a 30 minutos.

Ponha uma panela grande de água para ferver. Quando a mistura que pôs na geladeira estiver gelada, enrole-a em bolas, usando uma colher de chá cheia para fazer cada bola de *matzo*, porque elas vão se expandir enquanto estiverem cozinhando. Jogue-as na água. Abaixe o fogo e deixe a água em fervura lenta, depois cubra e cozinhe durante 45 minutos.

Retire as bolas de *matzo* da água e coloque-as na sopa de galinha. Sirva enfeitado com um pouco de endro cortado com tesoura.

Rendimento: 14 a 15 porções.

"Esta é a primeira Páscoa realmente minha", disse Ethan quando presidia a leitura do Hagadá. O texto, do Exôdo, deixou-o pensativo. "Só não gosto desse tema de que os judeus pensam que são escolhidos", disse. Essa declaração estava exatamente em linha com a falta de fé de Ethan em si mesmo. Como poderia acreditar na ideia de ser membro de uma raça escolhida por Deus quando ele mesmo não tinha a menor ideia do alcance de seu próprio potencial? Por mais bem-sucedido que fosse, Ethan poderia ser muito mais. Sua trajetória estava cheia de episódios da oportunidades batendo à porta, e Ethan afastando-se delas. Quando queria ser músico, mandou uma fita demo para Alan McGee, o legendário produtor britânico que descobriu a banda Oasis. McGee, de fato, ligou para Ethan, mas Ethan nunca ligou de volta. Se você não conhece McGee, digamos que é a mesma coisa que querer fazer o papel de um dinossauro animado e ignorar um texto de Steven Spielberg. Jann Wenner, legendário editor e fundador da *Rolling Stone*, gostou dos poucos perfis que Ethan fez para a revista e queria lhe oferecer um contrato. Em vez disso, Ethan decidiu deixar as revistas e entrar para a televisão, o que concordo que possa ter sido um lugar melhor para ele, mas o que estou tentando dizer é que Ethan não ficava alegre com as suas conquistas. Stacey, que estava redescobrindo sua fé, discordou da leitura dele, assim como Hank (que estava no meio da conversão). Quanto a mim, fiquei feliz apenas por ouvir que fizera uma páscoa que Ethan considerava sua.

Fomos a Roma em nossa primeira viagem juntos, onde o apresentei aos meus restaurantes favoritos e levei-o às melhores lojas, como Ermenegildo Zegna e J. P. Tod's. O estilo de

Ethan — que, antes da minha chegada, incluía uma horrível jaqueta de couro com um tipo estranho de acessório para cinto — recebeu alguns melhoramentos de que precisava com urgência sob a minha supervisão, embora eu receie ter criado um monstrinho nesse domínio. Ethan passava horas nessas lojas tentando decidir entre a camisa azul e a bege, ou se comprava sapatos número 42 ou 43 — nenhum servia direito. Levou minha paciência ao limite quando perdemos uma reserva para almoço arduamente conseguida no Il Moro porque passou tempo demais numa butique em que o vendedor demonstrou um enorme interesse em vesti-lo da cabeça aos pés. "Não consegui impedir. Ele me vestiu como uma bonequinha!", disse Ethan, que comprou quase tudo que experimentou, inclusive os sapatos, que finalmente se mostraram desconfortáveis e não foram usados quando foram repatriados para os Estados Unidos.

Sua reação aos sapatos não me espantou. Conforto era a coisa mais importante para Ethan — a coisa elusiva que sempre procurava, mas não conseguia achar. Era o que eu queria desesperadamente lhe proporcionar, se ao menos achasse um modo de fazer isso. "Você não me conhece!", ele gritava com a voz de um velho ranheta e zangado sempre que eu tentava sugerir algo que eu considerava ele, como palmilhas ou formas. Ninguém dormia tão mal quanto ele, o pescoço ou as costas de ninguém doíam tanto quanto os dele. Estava sozinho em seu corpo rangente.

Pincelei um bacalhau com manteiga como se fosse pomada analgésica e o envolvi em presunto cru — exatamente do jeito que Ethan cobriu o pescoço numa visita particularmente estressante à casa de seus pais em Tucson.

Bacalhau ortopédico

(adaptado de Nigella Lawson, *The New York Times*)

Não fará o pescoço de Ethan parar de doer, mas é delicioso.

2 (170 gramas a 220 gramas cada uma) postas de bacalhau
3 colheres de sopa de manteiga derretida
4 fatias de presunto cru
1 colher de sopa cheia de salsinha

Preaqueça o forno a 200 graus.

Pincele os filés com metade da manteiga derretida; embrulhe cada pedaço em duas fatias de presunto cru, depois pincele novamente com o restante da manteiga. Ponha numa forma de assar forrada com papel laminado e asse por 20 minutos.

Sirva imediatamente sobre lentilhas da página 101, com salsinha salpicada em cima.

Rendimento: 2 pessoas.

Ele, na verdade, encontrou algo próximo ao conforto no sofá "vintage" cor de alcachofra que comprei no mesmo dia em que o conheci. Grande, macio e envolvente, sem mencionar que era um ponto de observação perfeito, de onde se podia acompanhar a preparação do jantar. Nas tardes de domingo, quando o sol se punha, Ethan e eu nos deitávamos lado a lado para ouvir música. Bem no início ele me convencera a comprar um toca-CD que dava para cinco CDs, igual ao dele, e me ajudara a levá-lo para casa e a construir um novo conjunto de prateleiras para instalar o som. O sofá era meu único móvel que se encaixava perfeitamente. Ele gostou tanto dele que queria comprar um parecido. Esta se tornou nossa atividade de fim de semana durante boa parte de nosso relacionamento. Sábados e domingos à tarde nos encontravam no Macy's, Crate & Barrel, Pottery Barn ou Bloomingdale's, procurando um sofá tão aconchegante quanto o meu para Ethan comprar para o seu próprio apartamento. Quando encontrava algum que parecia uma possibilidade, fazia uma série de testes. Primeiro, sentava-se nele; se provasse ser aceitável para essa utilidade básica, deitava-se para ver se o comprimento era suficiente. A forma como os braços do sofá sustentavam sua cabeça era um fator crucial para o máximo prazer na leitura e em ver TV. Se o sofá em perspectiva passasse por todos esses testes, eu era chamada a me deitar ao lado dele e ver se nos acomodávamos bem. Eu ia adiante com esse jogo, fingindo cumplicidade, mas não gostava do que representava. Eu imaginava nossas vidas se misturando, assim como a mobília; Ethan planejava um cenário "separado, mas igual". Passei muito tempo no sofá do meu terapeuta falando sobre a compra de sofá de Ethan.

Eu também me preocupava sempre que ele perguntava como fazer seus pratos favoritos. Para que precisaria de mim se tinha o meu sofá e a minha receita de molho de tomate? Mas Ethan nunca comprou o sofá nem nunca aprendeu a cozinhar, pelo menos não enquanto esteve comigo.

FUI TÃO LONGE com a culinária quando estava com Ethan que comecei a preferir cozinhar a sair para comer fora em 99% do tempo. Aprendi que jantar em restaurantes desaponta na maior parte das vezes. Até nos restaurantes mais celebrados — especialmente nos restaurantes mais celebrados. É impossível qualquer coisa estar à altura de expectativas tão elevadas. Há uma química envolvida em tornar mágica uma noite fora. Onde você se senta, seu estado de espírito e o do seu parceiro, a empatia com o garçom, todos esses elementos são tão importantes quanto a comida que se vai comer, e eles raramente se combinam em perfeita harmonia. Mesmo assim, quando isso acontece, é tão soberbo que vale a pena aproveitar a oportunidade e sair de vez em quando. De qualquer modo, até esta cozinheira precisa de uma parada de tempos em tempos.

Comida asiática é uma cozinha que faz valer a pena sair de casa, porque é sensacional e, por mais que eu goste de cozinhar, você nunca me encontrará enrolando peixe cru em arroz e ervas marinhas, ou fazendo alguma coisa com molho de peixe e óleo de gergelim. Fico com temas ocidentais em minha cozinha. A comida favorita de Ethan, além de todas as que eu fazia, era sushi. No fim dos anos 1990, quando estávamos namorando, o restaurante Nobu era *o* lugar de comida japonesa, mas se você não fosse Robert de Niro ou Heidi Klum, precisaria de muita sorte para conseguir uma mesa para jantar. Estive lá duas vezes para almoçar e paguei do meu próprio bolso e sempre quis levar Ethan porque sabia que ele iria adorar. Numa noite em que não chegamos a nenhuma conclusão com nossa conversa sobre o-que-iríamos-ter-para-o-jantar, metemos na cabeça a ideia de tentar a sorte no Nobu. Ethan e eu entramos sem reserva, nos aproximamos da recepcionista com aparência de modelo de pé num estrado e corajosamente perguntamos se havia mesa disponível. Ela hesitou um momento, olhou em seu computador e anunciou um cancelamento súbito.

Pedimos o *omakase* — uma refeição de muitos pratos escolhidos pelo chef — e uma garrafa de *sauvignon blanc* superseco. À medida que cada iguaria chegava diante de nós — bacalhau preto *miso* ou um pedaço do *toro* mais fresco —, Ethan era dominado por emoções extravasadas em acessos de riso incontroláveis. Eu não sabia se devia ficar satisfeita ou preocupada (eu estava pagando). Terminei com ciúme daqueles peixes: nunca havia sido tratada com explosão semelhante ao que o *uni* do Nobu recebera. Eu esperava que os sentimentos de Ethan por mim fossem tão profundos quanto o mar do qual o nosso jantar viera, mas não estava convencida.

Ethan estava comigo no presente, mas o futuro não estava tão claro. Eu queria que nos casássemos, mas as conversas sobre o assunto, que comecei a abordar após cerca de um ano, não eram encorajadoras. Eu o confrontei no dia em que soube dos fabulosos sucessos de dois dos meus melhores amigos. Ginia acabara de ser contratada pelo *The New York Times* e Jen Warren ficara noiva. Eu, por outro lado, ainda trabalhava num negócio de publicidade que podia fazer com as mãos atadas nas costas e namorava um cara com um histórico de relacionamentos longos que nunca chegaram à *chupá* (tenda embaixo da qual se realizam cerimônias de casamento judaico). Naquela noite, Ethan e eu fomos jantar no Saul, nosso restaurante local favorito, onde, não por culpa dele, ocorreram algumas de nossas conversas mais difíceis. Assim que o ajudante de garçom pôs água em nossos copos, fiz sem pensar aquela pergunta que... bem, se você precisa fazer, já sabe a resposta:

— Quais os seus planos para nós dois?

— Não estou planejando nada — disse Ethan.

Perturbada e incapaz de obter resposta satisfatória a qualquer pergunta que compusesse, num esforço para apurar algo sobre nossa perspectiva, terminei chorando na cesta de pão, enquanto Ethan se preocupava com o que o garçom iria pensar.

FOMOS A VENEZA para o 40º aniversário de Ethan. Nas semanas anteriores mapeei todos os restaurantes a que iríamos e fiz reservas. Comendo *fritto* misto, peixes pequenos, no legendário Da Fiore, decidi dar mais corda no tema casamento.

— Agora que está fazendo 40 anos, não acha que é tempo de pensar em casamento? — perguntei, parecendo mãe dele, ou uma tia preocupada. Ethan me olhou como se eu tivesse dito que aquela noite marcante seria um bom momento para pensar numa mudança para a Guiné Equatorial.

Passei grande parte daquela semana desesperada, enquanto serpenteávamos pelos canais na chuva. Chorei ou me zanguei durante a maior parte das refeições, embora deliciosas.

— O que faz você ter tanta certeza de que não nos casaremos? — perguntou Ethan enquanto eu chorava na fila de passageiros do Aeroporto de Malpensa, após chorar durante quatro horas sem parar no trajeto de Veneza a Milão. Sempre impenetrável, Ethan não me deu nenhuma pista do que pensava, se estava em conflito em relação a uma decisão, ou se não estava "pensando em nada". Tudo que sei é que detestei Veneza.

Decidi deixar o assunto de lado por alguns meses.

Na noite de Ano-novo optamos por um jantar tranquilo em casa. Encontrei uma receita de salada com *mâche*, uma folha pequena, com sabor de noz, de que Ethan gostava. Depois de um longo dia comprando comida, sem parada para o almoço, finalmente cheguei ao mercado de verduras; como eles sempre têm uma variedade sofisticada de verdes, nunca me ocorreu que poderiam não ter o que eu procurava.

"Se você tivesse me telefonado no início da semana, eu poderia ter encomendado para você", me disse o proprietário.

Eu deveria bater com a cabeça na parede. Como pude esquecer de telefonar antes para obter uma folha rara essencial ao meu cardápio? Tentei outra loja, e outra, mas ninguém tinha canónigos. Pensei em pegar o metrô e ir a Manhattan, onde certamente a encontraria, mas não tive energia para isso. Faminta e exausta, escolhi uma tediosa alface de Boston, picada em pedacinhos. Ethan não saberia a diferença, mas me senti miserável a noite inteira. Meu jantar não estava perfeito, e eu queria que todo jantar fosse perfeito, especialmente este.

Salada que fracassou em produzir uma noite perfeita de Ano-novo

Mâche, romã e noz-pecã
(adaptado da revista *Gourmet*)

1 romã
½ colher de chá de açúcar
½ colher de chá de vinagre de vinho tinto
1 colher de sopa de azeite de oliva extravirgem
1 xícara de canónigos (amplamente disponível hoje em dia, para minha tristeza)
2 colheres de sopa de nozes-pecã picadas e tostadas
Sal e pimenta a gosto

Corte a romã ao meio e remova as sementes de uma das metades; faça suco da outra com um espremedor como faria com uma laranja. Numa panela pequena, ferva o suco, o açúcar e o vinagre até que eles se reduzam a mais ou menos uma colher de sopa, depois deixe esfriar à temperatura ambiente. Divida o molho entre dois pratos de salada e salpique com azeite. Divida o canónigo, as pecãs e as sementes de romã entre os dois pratos e tempere com sal e pimenta.

Rendimento: 2 porções.

No final, nenhuma quantidade de canónigos faria com que Ethan Binder se casasse comigo. Depois de três anos decidi que não havia esperança. Insisti no assunto pela última vez dando um ultimato: eu me recusava a ir em outra expedição à família Binder — uma viagem a Detroit para comemorar o 70º aniversário do pai de Ethan, que caía no mesmo dia do meu 35º aniversário — a menos que estivéssemos noivos. Certamente aquilo seria suficiente — a família dele me adorava, e ele se divertia muito mais com eles quando eu estava junto.

Ethan foi sozinho.

Mitch Smith lambia o prato

Nosso primeiro encontro foi às cegas para mim, mas não para ele. Mitch me vira na festa de lançamento do livro de Henry três anos antes, exatamente quando eu começava a namorar Ethan. Mais tarde me disse que gostou do fato de eu estar examinando o lugar todo, observando tudo. Se aquela era realmente minha missão na festa, fracassei, porque sequer tomei conhecimento dele. Não tinha a menor ideia da pessoa a que Henry se referia quando me telefonou no dia seguinte para dizer que seu amigo Mitch ficara interessado em mim.

— As coisas estão bem entre você e Farol de Milha? — perguntou Henry, usando um apelido que dera a Ethan porque achava que a testa dele brilhava. (Ethan desprezava o apelido e, por esta e outras razões, o próprio Henry.) Eu disse a Henry que sim. Mesmo assim, fiquei curiosa.

— Quem é ele? — perguntei.

— É um escritor com dois romances publicados; o primeiro virou filme.

Quis saber mais, mesmo depois de ouvir que o filme foi lançado somente em vídeo.

— Não o conheço tão bem. Vejo-o em festas de lançamento de livros, às vezes jogamos basquete, ele vai às reuniões do AA — disse Henry, violando displicentemente o princípio epônimo dos Alcoólicos Anônimos.

Então Mitch estava em recuperação, com Henry. Aquilo não me chateou. Alcoolismo em segredo torna as coisas mais complexas — até mais complicadas. Eu gostava das complicações. Tendo amado e convivido com um alcoólatra que negava esse fato, passei a admirar quem admitia e enfrentava o problema. Kit passara por muitos maus momentos antes de, finalmente, fazer isso.

Uma olhada rápida no site Amazon.com revelou que eu poderia encontrar Mitch a poucos metros de onde estava sentada. Seus livros eram publicados pela Simon & Schuster, meus patrões na época. Andei pelo corredor até a sala de livros onde estavam guardados títulos antigos, procurei nas prateleiras, encontrei um exemplar de seu primeiro romance e o levei para a minha sala. Fechei a porta. Olhei a foto do escritor e li a orelha do livro. O romance era sobre uma garota de 15 anos que realmente quer transar com um cara de uma banda. Mitch era uma espécie de Judy Blume* agressiva, rebelde.

---

* Romancista americana que vendeu mais de 80 milhões de livros, traduzidos em 34 línguas, para crianças e adolescentes, abordando racismo, menstruação, divórcio, masturbação. (*N. da E.*)

Passei um verão de luto por Ethan. Quando terminei, pensei em Mitch. Liguei para Henry.

— Ei, lembra do cara que você disse que gostava de mim no lançamento do seu livro há três anos?

— Mitch Smith, certo.

— Você acha que ele gostaria de sair comigo agora?

— Vou descobrir.

Mitch telefonou no dia seguinte.

— Bom e velho Henry — disse Mitch, a voz soando rouca e vagamente irlandesa ao telefone.

Combinamos um encontro para a terça-feira seguinte em um café num lugar próximo ao meu escritório, o Coffee Pot. Ele escolheu. Por causa de sua sobriedade, Mitch marcava a maior parte de seus encontros românticos em cafés; parecia conhecer todos os cafés de Manhattan e a maioria no Brooklyn. Mitch trabalhava em casa, escrevendo em seu apartamento em Williamsburgh, bairro do Brooklyn que não fica perto do meu.

Isso aconteceu logo depois de 11 de setembro de 2001. Naquelas semanas, fiz o que o presidente aconselhou: compras. O trabalho estava calmo, pois a maioria das turnês de autores e a publicidade foram canceladas. O romance que eu estava divulgando, sobre um professor louco de desenho gráfico, num colégio público no oeste da Pensilvânia, no início dos anos 1980, não poderia, de forma alguma, ser reinterpretado para ajustar-se ao momento. Entediada em minha mesa, eu fugia regularmente do escritório no meio do dia e passeava pelas lojas do Rockefeller Center, olhando as prateleiras cheias de artigos em liquidação, comprando roupa, fazendo a minha parte para estimular a economia. Também sucumbi à atração da TV a cabo, depois de me orgulhar de ser uma das últimas resistentes. Sem o sinal emitido do alto do World Trade Center, não havia mais televisão gratuita no Brooklyn. Aqueles foram dias estranhos e solitários. Eu precisava da televisão. Mais que isso, precisava de um namorado novo. A série *Família Soprano* podia efetivamente me distrair dos problemas do mundo, mas seria preciso mais que a pronúncia errada e terrivelmente familiar de Carmella de "sfogliatelle", minha torta italiana favorita, para me ajudar a superar Ethan.

A promessa desse homem misterioso que já gostava de mim foi minha tábua de salvação. Nos dias entre o telefonema e o nosso encontro, saí para longas corridas e pensei nele. Não podia ir muito além de um texto picante dele que surgiu numa busca pela internet, mas isso foi o bastante para manter meu sangue circulando enquanto subia a colina final da pista de corrida. Quando a terça-feira finalmente chegou, enfiei meu corpo — superemagrecido pela tristeza e pelo exercício — numa saia cáqui nova até os joelhos e com duas pregas, da H&M, suéter preto curto e justo, da Banana Republic, e sapatos de saltinho com alça no calcanhar da Saks, e me coloquei a caminho do Coffee Pot, num pôr de sol frio de fim de outono. Embora tivesse uma vaga ideia da foto de autor de Mitch, intuí que ele seria o cara que menos pareceria estar à espera da pessoa com quem marcara encontro. Estava sentado longe da entrada, olhando para a tela do único computador do café. Andei direto até ele e descobri que adivinhara. De alguma forma, talvez pelos trechos que eu lera na internet, podia dizer que ele seria complicado. De perto, Mitch parecia inofensivo. O cabelo era castanho, salpicado de branco e muito curto; usava óculos de aros, camisa vermelha Le Tigre, calças jeans e tênis Adidas. Vestia roupas de jovem, mas ficavam bem nele. Usava roupas para alguém de vinte e poucos anos em seu corpo de quarenta e poucos com elegante informalidade.

— Acabo de vir do casamento do meu irmão caçula — foi uma das primeiras coisas que Mitch me disse, acenando com uma nota de 5 dólares dobrada para indicar que nossos pedidos eram por sua conta enquanto esperávamos na fila do café. Fiquei um pouco surpresa por ele mencionar casamento tão cedo em nosso encontro quase às escuras. *As 35 regras para conquistar o homem perfeito,* minha bíblia de encontros românticos, instrui as mulheres a nunca pronunciar a palavra bodas ou casamento em qualquer contexto no primeiro encontro. Não gostei dos padrões divergentes. O casamento acontecera em Portland, Oregon, onde Mitch crescera e seus pais ainda viviam. O irmão caçula já se aproximava dos 40 anos.

Tomamos nosso café numa mesa alta no centro do salão e nos sentamos um de frente para o outro em bancos. Mitch falou sobre sua carreira de escritor; inclusive tinha em seu poder fotocópias de resenhas de seu primeiro e segundo romances, que fingi ter lido. Depois do nosso encontro, ele passaria no correio para enviá-las a um agente que queria contratar. *Oh, meu Deus, outro escritor inseguro,* advertiu a parte prática do meu cérebro, *já tenho bastante disso em meu trabalho.* Mas o hemisfério mais poderoso, o que desperta meu impulso de mulher-desesperada-para-ser-amada-por-homens-impossíveis, achou esse escritor bonito e curiosamente cativante. Enquanto conversávamos, não tive a sensação de que Mitch e eu nos conectávamos, embora as coisas se tornassem um pouco mais íntimas quando passamos ao assunto psicoterapia. Fiquei desapontada ao saber que ele recentemente parara de ir a um terapeuta-*trainee* de baixo custo no hospital da Universidade de Nova York. Qualquer ajuda é boa ajuda, pensei, e embora tivesse conhecido Mitch poucos minutos antes, estava claro para mim que ele precisava de alguma. Afinal, quem não precisa? Mas Mitch achava que o tratamento não estava adiantando nada; em vez disso, tentaria meditação budista. Prefiro soluções ocidentais para desconfortos mentais, mesmo que não gostasse tanto assim do meu próprio psicólogo. Eu ainda via o mesmo homem com quem começara a "trabalhar" pouco antes de começar a namorar Ethan. O terapeuta, como a maioia dos meus namorados, parecia mais interessado nas minhas receitas que nas "minhas questões". O assunto comida surgia frequentemente; minha culpa. Mas será que eu realmente precisava do conselho dele de adicionar cascas de laranjas ao molho de amoras quando falávamos do jantar de Ação de Graças? Certamente é uma boa dica, mas, quando se tratava de sugestões úteis de como superar Ethan — razão pela qual eu o consultava —, não havia boas receitas para passar adiante. Minha ajuda teria de vir de outras fontes. Eu dependia de Mitch, mesmo que o amor parecesse uma aposta praticamente sem chance durante a parte do café de nosso encontro, porque ele estava falando muito, e eu, pouco, e os pontos de intercessão, ao menos no que dizia respeito ao diálogo, pareciam poucos e distantes entre si. As coisas melhoraram quando caminhamos para o metrô.

— Você tem olhos bonitos — disse Mitch sem mais nem menos enquanto descíamos a Nona Avenida. Agora, sim, estávamos indo a algum lugar. Demorou duas horas, mas finalmente recebi indicação de alguma atração da parte de Mitch. Saber que tinha gostado de mim naquela festa havia tanto tempo (o bastante para me telefonar três anos depois) fez a noite ficar mais interessante. Até então, eu me perguntava se eu o decepcionara. Se eu me decepcionei com ele ou não foi um assunto em que não pensei novamente. Precisava ser amada de novo, e logo.

Enquanto caminhávamos, Mitch confessou que fizera pesquisa no Google a meu respeito antes de nosso encontro. Encontrou uma velha resenha de um show do Pulp que eu escrevera para *Addicted to noise*, uma revista musical pela internet já extinta, que meu irmão Matthew editava e para a qual todos da família (à exceção de minha mãe) e mais que poucos de nossos amigos escreveram em algum momento. A resenha era uma carta de amor para Jarvis Cocker, líder do Pulp na época, de quem sou fã devotada. Mitch brincou que tinha pensado em comprar óculos coloridos, o acessório-assinatura de Jarvis, para usar em nosso encontro. Não admiti que também tinha pesquisado sobre Mitch no Google.

— Que CD você tem ouvido? — perguntei quando caminhávamos em Bryant Park. Alguém um dia me fez essa pergunta num primeiro encontro; pensei que esse era um bom jogo. Você podia ser pego com algo embaraçoso como Olivia Newton-John, se estivesse nesse estado de espírito naquele dia... e se fosse honesta. Mitch me disse que estava ouvindo os Strokes, uma banda de Nova York que todo mundo conheceria em uma semana. Tomei nota mentalmente para comprar o CD deles no dia seguinte. Quando chegamos à Quinta Avenida, Mitch parou e me beijou na boca.

— Quer ver um filme no sábado à noite? — perguntou, enquanto fazíamos a volta no quarteirão em direção ao metrô.

— Claro — respondi.

Então, agarrou minha mão e me empurrou contra uma cerca de ferro perto da entrada do metrô, onde nos beijamos um pouco mais.

— Seus óculos estão embaçados — eu disse a Mitch quando paramos para recuperar o fôlego.

— Claro que estão.

Estava excitada e faminta quando cheguei ao metrô. Eram 21 horas e eu não comera nada desde o almoço. Minha fome só me deixava mais ligada; minha cabeça girava enquanto tentava processar meus pensamentos sobre esse estranho homem novo e, naturalmente, no que faria para jantar. Decidi fazer algo simples, com as coisas que tinha nas prateleiras: *farfalle* com atum, vinho branco, alcaparras e cebolas. Precisava de um prato forte para me trazer de volta à realidade.

Borboletas do primeiro encontro

Sal
2 xícaras (115 gramas) de *farfalle*
1 colher de sopa de azeite de oliva
½ cebola média picada
1 pitada de pimenta calabresa

1 lata (170 gramas) de atum com azeite (essencial!): a Progresso ou qualquer marca importada da Itália faz isso muito bem, mas sempre uso a versão nacional, e fica bom!
1 colher de sopa de alcaparras
½ de colher de chá de sal
3 colheres de sopa de vinho branco seco
1 salpico de azeite de oliva
2 colheres de sopa de salsinha italiana picada
Pimenta moída na hora

Leve uma panela grande de água ao fogo alto. Esse molho é tão rápido e fácil que você pode fazer enquanto a massa cozinha. Quando a água estiver fazendo borbulhas rápidas, junte uma grande dose de sal, a massa e cubra a panela até a água borbulhar rapidamente de novo. Descubra a panela e dê umas boas mexidas.

Enquanto isso, esquente o azeite numa frigideira média em fogo médio, junte a cebola e a pimenta e frite até a cebola ficar translúcida, cerca de 2 minutos. Abra a lata de atum e escorra a maior parte possível do azeite (faça isso pressionando a parte da tampa que se soltou contra o atum em cima da pia com toda a força que tiver). Junte o atum às cebolas e depois as alcaparras, o sal e o vinho. Abaixe o fogo e cozinhe até a massa ficar pronta.

Escorra a massa e junte a ela o atum que está na frigideira, salpique com um pouco de azeite de oliva, a salsinha picada e alguns grãos de pimenta preta moída.

Serve 1 ou 2, com o bastante para o almoço do dia seguinte.

Comi a massa enquanto via uma maratona televisiva que arrecadava dinheiro para as famílias das vítimas do 11 de Setembro. O tema desta era um tributo a John Lennon. Sean Lennon tocou, e Yoko também. Quando Kevin Spacey subiu ao palco para uma apresentação bastante impressionante de "Mind Games", tudo pareceu encaixar-se. Não pude esperar nem mais um minuto para telefonar para Ginia e contar-lhe sobre como fora com Mitch.

Não há ninguém como Ginia para aumentar minha animação com um encontro. Ela se permite fantasiar com uma intensidade que eu não ousaria, e é precisamente por isso que telefono para ela primeiro. No fim da conversa, ela tem certeza de que me casei, tenho dois filhos e um fundo para a faculdade crescendo firmemente, além de dinheiro guardado para a aposentadoria. Isso pode me levar a um entusiasmo prejudicial ao meu melhor julgamento, mas hoje à noite precisava da fantasia, e Ginia estava lá, como sempre, para fornecê-la. Ficou especialmente feliz por mim, pois partilhara em primeira mão de toda a minha tristeza naquele verão.

Alugamos uma casa na ilha Shelter para agosto, o que eu não estava inclinada a fazer por causa de todas as lembranças de Ethan lá, mas Ginia me convenceu a ir, o que acabou sendo a coisa certa. Ela também estava sozinha na época. Pedimos emprestado o velho Volkswagen Beetle branco do meu irmão Matthew, um conversível com bancos forrados de pele de leopardo, para dirigir pela ilha — não nos cansávamos de olhar para as casas das pessoas ricas e imaginar a vida agradável que se passava por trás das maravilhosas fachadas — e ir a festas nos Hamptons. Nos intervalos, longas conversas na varanda da frente sobre o que Ethan estaria pensando e o que estaria fazendo, que sempre terminavam com a revelação de que ele não era bom o suficiente para mim, normalmente seguida de um acesso de choro; e, assim, demos nosso jeito de aproveitar o verão.

Precisei de toda a ajuda do universo para enfrentar meu desespero; cheguei a invocar Deus. Nos domingos de manhã, pedalava minha bicicleta gêmea Raleigh (agora divorciada de sua parceira na casa de Ethan) até a Igreja Católica Romana Nossa Senhora da Ilha, na ilha Shelter. Chorava durante a maior parte da missa. Às vezes, cantava canções que me lembravam os dias de escola católica, guiada por um coro geriátrico acompanhado de um órgão Hammond. Senti um pouco de esperança quando notei um par de homens atraentes que iam sozinhos à missa com regularidade. O que usava blazer quadriculado e dirigia uma Mercedes conversível do início dos anos 1970 provavelmente era gay, mas o outro, perto do qual comecei a me sentar com frequência, provavelmente não. Tinha sotaque britânico e dirigia um BMW conversível prateado. Como era adorável que ele conservasse a fé, e fé católica, a essa altura. Tão exótico para um britânico! Durante a Segunda Carta de Paulo aos Tessalonicenses, imaginei a história dele. Seria um funcionário de banco mandado para o escritório em Nova York de uma firma britânica, o Barclays, talvez. Enquanto o coro capengava numa versão particularmente simplória de "Onde estava você quando crucificaram meu Senhor?", eu fantasiava em aproximar-me desse homem, a quem Ginia começara a chamar de "Nigel", e convidá-lo para um jantar em nossa casa. Mas nunca reuni coragem para falar com ele, além de dizer "paz de Cristo" quando chegava essa parte da missa, então estava livre para concentrar toda a minha tensão em relacionamentos em Mitch.

Imaginei que fosse ligar no dia seguinte ao encontro, mas ele esperou até um dia depois. Nessa altura, o cinema de sábado à noite que sugerira fora trocado por uma excursão a Williamsburg com um grupo de amigos dele para ver uma banda.

— Parece divertido — menti.

— Está bem. Vou telefonar para você no sábado à tarde para confirmar — disse Mitch.

Fiquei decepcionada, não apenas porque esperava ficar a sós com Mitch, mas especialmente porque precisaria de uma roupa apropriada para Williamsburg. Williamsburg, a capital moderna da cidade de Nova York, senão do mundo inteiro, não era o meu cenário, mesmo que pudesse sentir atração pelo tipo de homem que vivia lá. Passei todo o sábado de manhã tentando comprar uma roupa enquanto esperava a ligação de "confirmação" no meu celular. O telefonema finalmente veio; a roupa, não. (Eu aprenderia que não se compra roupa para um encontro romântico em Williamsburg nas butiques de Boerum Hill; vai-se ao Exército da Salvação.) Fiquei mais otimista em relação ao encontro quando Mitch me disse que faria uma breve visita para me pegar e jantarmos no meu bairro. Desencavei um vestido Tocca de algumas estações atrás (um clássico!) do meu armário: um minivestido de tweed de lã púrpura com mangas curtas e um pequeno decote. Eu o usei com botas de couro marrom de salto alto.

Fiquei contente porque Mitch veria meu apartamento. Gostava do lugar onde àquela altura morava havia dez anos; acreditava que ele revelava coisas amáveis sobre mim. Os discos, por exemplo: lá estavam, em prateleiras metálicas montadas por Ethan para substituir uma torre inclinada pintada à mão de que eu gostava muito, mas que ele achava perigosa — todos os que eu havia comprado desde 1978, uma coleção de mais de duzentos, incluindo o ampliado *mix* para dança "The Safety Dance", do Men Without Hats, que, pensando bem, poderia ter jogado fora alguns anos antes. Pensei em convidar Mitch para "subir e ver a minha coleção de vinil" quando ele chegasse à porta. Sempre estou à procura de apresentações inteligentes para encontros desajeitados, como um horário no terapeuta, ou segundos encontros românticos.

Quando a barulhenta campainha da porta sinalizou a chegada de Mitch, meu coração batia com força enquanto tentava caminhar com calma. Quando abri a porta, cumprimentei-o com um "selinho". Não usei o comentário do vinil, graças a Deus. Mas o beijo tampouco pareceu uma boa ideia. Mitch parecia distante e pouco à vontade. Entrou e se aninhou num canto do sofá. Eu lhe ofereci uma das bebidas não alcoólicas que comprara em minha busca infrutífera de um vestido. Trouxe duas Cocas para o sofá e me sentei no canto oposto. Não demorou muito, sem eu sequer ter falado em Kurt Cobain, ou Hole, ou abuso de drogas, ou até mesmo a cidade de Seattle, e ele mencionou ter sido amigo de Courtney Love.

— Dormiu com ela? — perguntei.

Mitch foi recatado, embora trazer o assunto à baila tenha sido claramente destinado a provocar aquela pergunta. Fiquei inexplicavelmente intrigada.

Levei Mitch pela Smith Street, o agora revitalizado bulevar do Brooklyn, que transformou — apesar do comentário negativo de Ethan no Dia dos Namorados, três anos antes — uma desolada ruela de bodegas e lojas de roupas de baixo para mulheres idosas num impressionante corredor de restaurantes e butiques. Quando tentei pensar num lugar onde pudéssemos comer, Mitch falou sobre uma banda que vira em Conan O'Brien chamada At the Drive-In que estava destinada a ser um tremendo sucesso. Mitch não me parecia um comensal exigente, e eu não sabia o que ele podia escolher entre as opções dispendiosas. Em vez do jantar polonês ou grego a que pensei que Mitch estivesse acostumado, concordamos em ir a um simples café italiano, Paninoteca; eles se especializaram em sanduíches quentes de queijos derretidos e presuntos defumados. Eu poderia tomar um copo de vinho muito necessitado, e não seria caro demais.

Gostava do meu bairro, até o considerava moderno, mas caminhar por ali com Mitch me deu a impressão de que o que era moderno para mim não era para ele. Mitch era pós-moderno. "Emo" era a ideia, explicou enquanto comia uma salada, embora não fosse muito bom em definir o que parecia ser uma filosofia que cobria tanto a música quanto a moda. Após vinte minutos de conversa, tudo que eu sabia, como uma bibliotecária, era que tinha algo a ver com aparência, ou comportamento, ou som. Era só disso que se precisava para excitar Mitch Smith? Eu certamente poderia optar pelos meus óculos, em lugar das costumeiras lentes de contato, no nosso próximo encontro — se houvesse um.

Senti-me decididamente limitada quando Mitch tagarelou sobre as muitas cidades diferentes — Los Angeles, San Francisco, Portland e Praga — em que vivera nos últimos anos. Desde 1991 eu vivia no mesmo apartamento, aquele para o qual me mudara com Kit. Antes de ficar sóbrio, Mitch consumia um bocado de drogas e dormia com muitas garotas *punk* viciadas. Meu breve namoro com substâncias ilegais nunca me levou a nenhuma estrada mais perigosa que o consumo de muitos Hostess CupCakes. Dormi com garotos judeus que tinham problemas com sua origem. Mitch não me fez muitas perguntas e, quando fez, foram erradas. Tipo: "Você foi lésbica na escola?" Eu não tinha a resposta alternativa requerida para isso.

A conta deu 21,95 dólares.

— Você quer algum dinheiro? — perguntei.

— Se você quiser dar — respondeu Mitch.

Eu não queria. Dar aqueles 10 dólares foi humilhante, mas eu os entreguei.

De volta à Smith Street, nos encontramos com Henry, que ficou espantado de nos ver juntos.

— Não posso acreditar que nenhum de vocês me mandou um e-mail! Há quanto tempo estão saindo juntos? Esta é a primeira vez? — disse.

— Na verdade, estamos noivos — disse Mitch.

A maior parte do senso de humor de Mitch estivera oculta até aquele momento. Ele parecia ter a intenção de me impressionar, ou, mais provavelmente, me indispor com ele, com uma litania de referências destinadas a provar como era bacana — não à diferença de um personagem de um romance escrito para adolescentes, só que aqui não havia uma pessoa mais velha, mais sábia, para aconselhá-lo a simplesmente "ser ele mesmo".

Pegamos o trem G — uma linha misteriosa que parava em Bergen Street, minha parada costumeira de metrô, só que nunca tivera oportunidade de saltar — para Williamsburg. A G é a única linha de toda a cidade de Nova York que não vai para Manhattan. Esse trem fracassado adquiriu um novo propósito quando Williamsburg e adjacências se tornaram o endereço de jovens moderninhos. Ela serpenteia pelo Brooklyn rumo a Long Island City, que, na verdade, fica no Queens. Eu me maravilhava com as paradas enquanto passávamos por elas: Fulton Street, Clinton-Washington Avenues, Classon Avenue. Onde estávamos, pelo amor de Deus? Mas a pergunta que realmente queimava em minha mente era: por que me sinto tão mal?

— Você está bem? — perguntou Mitch, notando o meu mal-estar. Ele segurou minha mão e, depois, pensando que talvez não fosse a coisa bacana a fazer, rapidamente a soltou. Em vez disso, zombou de si mesmo para me acalmar: — Você sabe que está num superencontro com Mitch quando são 23 horas e você está no trem G — disse, e eu ri.

Descemos na Metropolitan Avenue — que eu vira centenas de vezes da posição vantajosa de um carro na via expressa Brooklyn-Queens — e andamos até a Pete's Candy Store. O lugar era bonito, como o nome, com um bar na frente, um salão no meio, onde as bandas tocavam, e um jardim, onde estavam os amigos de Pete com canecas de cerveja. Bebi um pouco; Mitch tomou uma Coca. Conversamos com eles durante algum tempo e depois fomos para a outra sala para ouvir a banda. Mitch pôs o braço no meu ombro enquanto ouvíamos, depois me deu um daqueles beijinhos na bochecha, como havíamos feito na rua, na terça-feira anterior. Eram duas da manhã quando saímos.

Quando chegamos ao metrô, Mitch apontou para mim a plataforma rumo oeste e explicou que o trem rumo leste era o que o levava para casa.

— Você não vai me fazer tomar o trem G sozinha às duas da manhã — protestei.

— Como sou burro, claro que não posso fazer isso. Que namorado ruim eu sou — exclamou Mitch.

— Há diversos pontos que necessitam de melhorias — respondi.

Eu queria que Mitch viesse para casa comigo não apenas porque estava preocupada com minha segurança, mas porque ainda esperava transformar esse encontro, e o modo como me sentia a respeito de Mitch e o modo como Mitch me fazia sentir a respeito de mim mesma, em algo mais parecido com o nosso encontro anterior.

— Bem, como veio até aqui, você também pode subir e assistir a um pouco de TV — falei, fingindo que não me importava se fizesse isso ou não, quando chegamos à minha porta. Deitamos no sofá lado a lado, vendo vídeos na MTV. As coisas se tornaram aconchegantes, e logo estávamos nos beijando. Foi então que descobri onde Mitch realmente brilha num encontro. Era incrivelmente excitante beijá-lo e ser tocada por ele, muito embora ao pôr a mão debaixo do meu vestido ele não tenha resistido a criticá-lo.

— O que é esse tecido que espeta? — perguntou.

Não fomos longe, mas havia alguma coisa em Mitch de que eu realmente gostava. Também não era igual a sentar diante dele num restaurante, ou ao seu lado no metrô. Aqui estávamos em sincronia, enquanto ele iniciava atraentes enredos de história que deixava incompletos. Finalmente, disse:

— Obrigado por uma noite divertida.

Beijamo-nos um pouco mais demoradamente na porta, então ele disse:

— Até mais — e desceu para a portaria.

Até mais.

O que significava isso? Eu, de fato, o veria novamente? Não consegui arriscar um palpite. Na manhã seguinte, encontrei-me com Jen e o marido, Jeff, no Barney Greengrass para um brunch e uma análise infrutífera do encontro e os possíveis significados da frase "até mais" entre *bagels* e salada de peixe de água doce. Jeff sempre gosta de me ajudar a dissecar encontros, e, em geral, é muito astuto, mas nem ele pôde chegar a uma conclusão, e é claro que nenhum dos dois conseguiu entender por que eu me importava tanto. Segunda-feira de manhã fui correr e, depois, fiquei em casa esperando um telefonema de Mitch. Terça fui a um espetáculo no Museu Americano de História Natural e fingi que não era alguém à espera de um telefonema. Na quarta-feira, às 9h48 da noite, o telefone tocou. Mitch e eu conversamos e cobrimos tópicos que, para meu alívio, eram um pouco mais comuns. Soube que o pai de Mitch também era médico; cirurgião ortopédico.

— Você joga tênis? — perguntou.

— Um pouco, por quê?

— Tenho uma teoria de que todos os filhos de médicos sabem jogar tênis.

Agora estávamos na mesma quadra, por assim dizer — um par de garotos normais de classe média com torneios em sua formação. Mitch abandonou a pose de desvio comportamental e social que ostentava quatro dias antes. Eu estava entusiasmada com nossa interação suave, pronta para desconsiderar o desastre de sábado simplesmente como uma aberração. Estávamos ambos nervosos, pensei, teremos outro encontro e será divertido novamente, como o primeiro.

— Bem, ligue para mim se souber de alguma festa — disse Mitch antes de desligar.

Não fiz isso. Também não sabia o que fazer em seguida, então li seu primeiro romance, sobre a garota que quer transar com o cara da banda. Quando terminei, mandei-lhe um e-mail dizendo que havia adorado o livro. Realmente gostei. Judy Blume ainda é uma das minhas autoras favoritas, e eu amava música, então a combinação dos dois me agradou. E tenho conhecimento suficiente de escritores para saber que não existe um só entre eles que consiga ignorar um elogio ao seu trabalho.

Mitch me telefonou na tarde do dia seguinte, e eu, num último esforço de força de vontade, não liguei de volta. Na segunda-feira de manhã ele me mandou um e-mail e perguntou se eu não queria ir ao cinema no sábado à noite.

— Sim — respondi.

— O.K. Mas você paga sua entrada — replicou.

Isso deveria ser uma piada. Não foi engraçado; paguei minha entrada de fato — e Mitch pagou a dele com uma nota de 10 dólares, para assegurar que ninguém — nem eu, nem o bilheteiro, nem o cara atrás de nós — o confundisse com alguém que estivesse comprando duas entradas.

Depois de *Os garotos da minha vida*, um filme sobre sexo entre adolescentes, Mitch foi ao meu apartamento e fizemos sexo de meia-idade-chegando. Foi tudo que pensei que seria. Mitch, apesar de toda a postura boba de moderninho, era incrivelmente sensual. Fiquei instantaneamente ligada nele e esperançosa de que desenvolvêssemos fora da cama algo que se assemelhasse mais ao que ocorria nela.

Por mais que ele resistisse, eu podia ver que Mitch também estava se prendendo a mim.

— Não acredito que dormi aqui — ele disse. — Mas quando acordei e vi o sol e as árvores do lado de fora da sua janela, soube que estava no lugar certo.

Naturalmente, eu não estava na cama quando ele acordou. Estava na cozinha fazendo café da manhã e massa para panquecas. Acrescentei um toque de baunilha, que Mitch não aprovou. Gostava de panquecas "sem gosto". "Quem sente o gosto da baunilha?", me perguntei. Ela apenas acentua o gosto da panqueca. Mitch podia sentir. A baunilha era a ervilha debaixo da pilha de colchões.

Panquecas sem gosto

(Adaptado de Mark Bittman, *The New York Times*)

Eu acrescentaria uma colher de chá de baunilha ou um pouco de casca de laranja ralada, e você deveria fazer isso também, mas não se estiver namorando Mitch Smith.

- 1 xícara de farinha de trigo
- 1 colher de sopa de açúcar
- 1 colher de chá de fermento em pó
- 1 ovo
- 1 xícara de leite
- Manteiga

Misture os primeiros cinco ingredientes até que se combinem. Você não vai querer se cansar misturando em excesso; Mitch é trabalho suficiente.

Aqueça uma frigideira antiaderente em fogo médio/alto e derreta uma colher de chá de manteiga por rodada de panquecas. Quando a manteiga estiver chiando, deixe pingar um quarto de xícara de massa para cada panqueca de 13cm de diâmetro. Cozinhe até que surjam bolhas secas (cerca de um minuto), na superfície da panqueca, depois cozinhe do outro lado durante cerca de 30 segundos.

Rendimento: 8 panquecas

Nossa intensa atração física tornou aqueles primeiros encontros especiais, apesar das queixas ocasionais de Mitch. Mesmo então, eu não tinha certeza de que o veria novamente quando nos despedíamos. Mas estava decidida a obter uma coisa em especial de sua presença errática em minha vida — desejo que satisfiz quando me encontrei com Ethan na academia de ginástica, num sábado de manhã, poucas semanas depois de iniciar meu relacionamento com Mitch. Parei para falar com ele enquanto ele pedalava com uma toalha branca fornecida pela academia em volta do pescoço, a revista *New Yorker* balançando sobre o guidom. Interrompi meu exercício para falar com ele e, como não parávamos de falar (isso não havia mudado nem com o rompimento), decidimos terminar nossos exercícios e almoçar juntos. Enquanto fazia alongamento, maquinei um jeito de fazê-lo saber que eu estava saindo com alguém.

Sabendo que o tópico música surgiria (isso, ou os restaurantes na versão pós-namoro de Ethan e Giulia), diria que ouvia os Strokes e descobriria um jeito de lhe dizer quem me fizera gostar deles.

— Que música você está ouvindo ultimamente? — perguntei quando nos sentamos um em frente ao outro num dos bistrôs da Smith Street que até ele estava frequentando.

Badly Drawn Boy, um pequeno compositor-cantor de rock de quem eu ainda não ouvira falar, era a escolha de Ethan

— Quem falou nele para você? — perguntei, esperando que fizesse a mesma coisa quando eu falasse dos Strokes.

Ele perguntou.

— Um cara — respondi, com uma falsa pressa que não necessitava de interpretação. Ethan não recebeu bem aquilo. Acusou-me de tentar humilhá-lo; retaliei, culpando-o de me colocar na posição de querer humilhá-lo.

— Meu desespero não tem fim — eu disse, sempre uma Sarah Bernhardt na presença dele.

FIQUEI MUITÍSSIMO SATISFEITA ao constatar que matava Ethan saber que eu estava com outro cara, especialmente alguém com gosto musical tão bom. Eu ainda não superara o rompimento com Ethan, então me empenhei mais ainda em me preocupar com Mitch, que estava, como sempre, esperando o tempo máximo permitido por códigos ancestrais para voltar a me procurar.

Soube novamente dele no dia da eleição e, quando o repreendi por levar tanto tempo para ligar, me disse que não estava interessado numa relação, queria que fôssemos "amigos".

Distraída no meu trem F, de volta para casa no Brooklyn, me saí com essa:

— Se somos amigos, por que não podemos fazer sexo?

Testei isso com Mitch quando liguei para ele do meu celular, de fora da fila de votação. Roubei a frase diretamente do primeiro romance dele, razão possível para ter funcionado.

— Vou para a sua casa — disse Mitch.

Votei, depois fui para casa e bati um bolo de pera para servir a ele com café pós-coito.

Bolo de pera para amizades coloridas

(Adaptado da revista *Bon Appétit*)

2 ovos grandes
½ xícara de manteiga, levemente derretida e cozida
½ de xícara de leite integral
⅔ de xícara mais uma colher de sopa de açúcar
1 ½ xícara de farinha com levedura
4 peras Bartlett, sem casca, cortadas em quatro, sem caroço e cortadas transversalmente em fatias de 0,5cm
Açúcar de confeiteiro

Preaqueça o forno a 190 graus.

Passe manteiga e farinha numa forma de 20cm. Misture ligeiramente os ovos, a manteiga derretida e o leite numa vasilha. Misture os ⅔ de xícara de açúcar. Acrescente a manteiga e bata até que a massa esteja lisa. Misture as fatias de pera. Transfira a massa para a forma e borrife por cima com a colher de sopa remanescente de açúcar. Cozinhe até o bolo ficar dourado por cima e até que o testador inserido no meio saia limpo. Cerca de 40 minutos.

Esfrie na forma, depois inverta sobre um prato e espalhe açúcar de confeiteiro em cima. Este bolo é maravilhoso feito com peras de verão também.

Rendimento: 8 porções.

Nem dissemos olá. Simplesmente começamos a nos beijar no segundo em que Mitch cruzou a porta. Seus óculos caíram no chão e ficaram um pouco tortos; seu iPod, cujos fones ainda estavam em seus ouvidos nos primeiros segundos, também caíram no chão e receberam alguns arranhões. Era como a cena de uma versão adolescente de *9 ½ semanas de amor*. Transamos no sofá com os Strokes tocando ao fundo.

Depois fiz café, e Mitch deixou cair migalhas de bolo em todo o peito e no meu sofá enquanto tentava comer uma fatia bem grande ainda deitado ao meu lado. Não me importei; estava feliz vendo o resultado das eleições com Mitch, e o bolo estava impressionante também (para usar uma palavra dele). Mike Bloomberg tornou-se prefeito, e Mitch ficou para passar a noite. Mas não estávamos namorando!

Enquanto esperava o próximo telefonema do meu amigo, me perguntei se o álcool se relacionava à dificuldade de me aproximar de Mitch para conhecê-lo. Nunca estivera com um cara que não bebesse. Sentia falta daqueles momentos relaxantes e da ligação que florescem facilmente quando se compartilha uma garrafa de vinho. Não teríamos nenhum deles. Mitch estava comprometido com a sobriedade, que certamente era importante para ele, mas não estava fazendo muito por mim. Como alguém poderia apaixonar-se sem refrescos para adultos?

Na semana seguinte, Mitch me convidou para jogar boliche com "algumas pessoas de publicidade". Eu gostava de boliche tanto quanto de limpar os dentes, mas queria ver Mitch, então fui e coloquei os sapatos nojentos e joguei e até consegui um *strike* ou dois. Os amigos eram mais impressionantes do que eu esperava que fossem os amigos de Mitch. Havia um editor da *Paris Review*, um pesquisador literário, um produtor cinematográfico independente. Eles beberam canecas de cerveja, mas eu fiquei com a Coca-Cola, em solidariedade ao meu "amigo" sóbrio.

— O que está acontecendo conosco? — perguntei mais tarde, naquela noite, a Mitch quando estávamos sozinhos, comendo batatas fritas no Corner Bistro. — Passamos momentos incríveis juntos, depois fico sem saber de você por seis ou sete dias. Não posso continuar assim.

— Tenho medo de você — disse Mitch.

— Você está ferindo meus sentimentos — eu lhe disse.

Aparentemente, Mitch não sabia que eu tinha algum sentimento. Tentei convencê-lo de que tinha (se você puder, imagine uma conversa dessas, e terá de fazer isso, porque eu a bloqueei para sempre na minha mente) e que ele tinha alguma influência sobre eles. Acho que me ouviu um pouco. Chegamos a algum lugar naquela noite, algum lugar a que um par de martínis (gim, por favor) poderiam nos ter levado muito mais rápido. Em Waverly Place marcamos um encontro para o fim de semana. Antes que eu entrasse rapidamente num táxi, Mitch escorregou um pedaço de chiclete Bazooka para dentro do bolso da minha jaqueta de sarja, onde ficou durante cinco anos. Cada vez que usava a jaqueta, sentia o chiclete ali, aquilo me fazia recordar a primeira vez que me senti ligada a Mitch fora da cama.

Comida não era realmente a coisa preferida de Mitch, não do jeito que era com Ethan, mas ele demonstrava uma satisfação extraordinária com tudo que eu preparava para ele. E eu não tinha de dar duro de maneira alguma; até um simples espaguete com manteiga (cozinhe o espaguete até que esteja *al dente*, misture o macarrão com um pouco de manteiga sem sal, acrescente uma colher de sopa cheia de queijo parmesão, moa um pouco de pimenta em cima), que preparei para ele naquele sábado, como um lanche tardio, o mandou direto para a lua. Mitch gostou tanto que lambeu o prato. Tentou esconder isso de mim, ocultando-se atrás do meu ombro para lamber o prato enquanto víamos televisão sentados no sofá, mas eu o peguei no flagra, e ele, provavelmente, fez isso de propósito. Ele achava que essa era a história mais divertida do mundo, uma confirmação de que era um mero caipira sem nenhuma noção de como comportar-se em minha dominadora presença.

Ele me acompanhou à igreja na manhã seguinte e segurou minha mão durante a missa. No fim de semana seguinte, fui a Miami para uma feira de livros. Corria na praia todos os dias pensando em Mitch e ouvindo os Strokes em meu iPod. Enquanto estava lá, ele mandou um cartão para a minha casa. Dizia algo sobre sentir minha falta, ou, ao menos, ele disse isso; nunca recebi o cartão. Mitch disse que foi a coisa mais romântica que já tinha feito.

Dali em diante, passou quase todas as noites em meu apartamento. Isso nunca foi planejado. Inevitavelmente por volta das 21 horas, eu recebia uma ligação de um número desconhecido; era Mitch chamando do celular de outro membro dos AA (ele ia às reuniões quase todas as noites e não tinha telefone próprio). Eu prontamente desmarcava qualquer drinque ou jantar que tivesse programado para aquela noite com outro adulto e estava pronta para saudar Mitch com sua cerveja de gengibre, que eu estocava em minha geladeira justamente para esse tipo de ocorrência espontânea (embora regular). Foi uma boa coisa eu ter cedido e assinado um canal a cabo. Ficávamos no sofá e víamos televisão até tarde da noite. Eu aguentava a TV em parte por causa do sexo, que acontecia por volta das duas ou três da manhã. De vez em quando eu me levantava do sofá para fazer alguma coisa para comermos. A frugalidade dele devia estar pegando em mim, porque uma noite, para usar um queijo que estava na geladeira havia uma semana e pão dormido, fiz uma coisa que chamei de *mozzarella en carrozza*, que Mitch, um WASP sem inclinações continentais de espécie alguma, não conseguia pronunciar. Imaginei que isso não era muito diferente de queijo grelhado e não oprimiria seu paladar infantil. Foi outro sucesso estrondoso.

Queijo italiano grelhado para WASPs adolescentes

Azeite de oliva
Pão italiano, ou até uma baguete francesa (dormida de um ou dois dias está boa), cortada em fatias finas
Muçarela em fatias (pode ser velha de dois dias também)
1 ou 2 ovos (dependendo de quanto você esteja fazendo), levemente batidos

Esquente o azeite de oliva numa frigideira antiaderente em fogo médio/alto. Faça pequenos sanduíches com o pão e o queijo e os mergulhe no ovo. Quando o azeite estiver quente, ponha delicadamente os sanduíches (você pode pôr um palito em cada um se achar que estão se desfazendo) e frite até dourar dos dois lados e o queijo derreter. Pressione com uma chaleira ou panela cheia d'água para achatá-los (se você usou palitos, remova-os quando o queijo derretido tiver fundido tudo e pressione-os depois).

Rendimento: 1 pão dá para 8 a 12 sanduíches.

Havia muito a dizer em favor do meu estilo de vida completamente novo e diferente. Adaptei-me com facilidade ao papel de adolescente, especialmente porque não havia pais no andar de cima enquanto nos contorcíamos no sofá. Como nunca havia namorado um adolescente quando teria sido o tempo apropriado, eu me deleitei ao ter um pouco tarde na vida uma experiência que talvez se assemelhasse a um namoro adolescente. Como era enfadonho que, em vez de ir para a escola de manhã, eu tivesse que trabalhar, enquanto Mitch ainda podia ficar na cama. Ele me observava enquanto eu me vestia e cochilava.

— Você parece uma professora substituta — disse, examinando minha roupa uma manhã. Eu me ofendi e toquei no assunto num e-mail posterior naquele dia.

— Não, não — ele respondeu. — Quis dizer como a professora substituta que você deseja ardentemente pelo resto da vida.

Ele deixava bilhetes escritos à mão por todo o apartamento, agradecendo pelo jantar da noite anterior ou pelo café da manhã. "Tudo associado a você é delicioso", dizia um dos bilhetes.

Essas pequenas coisas faziam com que Mitch valesse a pena e me enchiam de esperança de que as coisas funcionassem entre nós e pudéssemos comprar juntos uma casinha em Williamsburg. Sim, viveria até em Williamsburg, se fosse necessário.

Mitch passava o dia em seu apartamento escrevendo, embora sua carreira estivesse um pouco parada quando estivemos juntos. Seu segundo romance, destinado a adultos, foi menos bem-sucedido que o primeiro. Um terceiro romance, que acabava de ser publicado por uma editora independente de San Francisco, era sobre dois garotos adolescentes que tentam ficar com a garota mais bonita. Tentei persuadi-lo a ficar com a ficção para jovens adultos, pois essa linguagem vinha naturalmente dele. Mas Mitch argumentou — muito persuasivamente — que isso significaria desistir dos sonhos de ser o próximo John Updike, e ele não estava preparado o bastante para abrir mão deles. Mitch escrevia o dia inteiro, e escrevia rápido; tinha caixas de romances para adultos em seu apartamento, mas não conseguia vender nenhum.

Um era um romance sobre uma mulher de 31 anos vagamente baseada em mim. Usava os mesmos produtos de toalete que eu e até os mesmos tipos de sapatos. Era uma mulher muito bem-sucedida em sua carreira numa revista e tinha muito mais sucesso que eu. Durona, chefe exigente, alguém que gritava com as pessoas e conseguia tudo que queria. Coisas que Mitch imaginava que eu era, mas que eu não era e nunca poderia ser. Ajudei-o a pôr aquilo nas mãos de alguns editores, interessando-me pessoalmente pelo projeto, embora aquela mulher não fosse *realmente* eu. Nem sequer um pedacinho dela.

Mitch gostava de me visitar no meu escritório na vida real, não apenas pelo suprimento de objetos de escritório e de livros que eu lhe dava, mas também porque estava entusiasmado com o meu trabalho, mesmo que eu não tivesse um carro e um motorista para me levar e buscar do trabalho todos os dias, como o personagem que ele criou. Impressionou-se porque meu trabalho me permitia falar com Harold Bloom diariamente, e mais, ser chamada por ele de "ursinho" (que era como chamava todas as pessoas de quem gostava). Harold não foi apenas um dos escritores mais inteligentes, como um dos mais gentis com quem trabalhei. Vim a conhecê-lo durante os meus dias com Ethan e, da mesma forma que o pai que eu já não tinha ficaria, ele ficava extremamente preocupado com o fato de Ethan não progredir na direção da aliança. "Um rapaz muito bonito e bastante inteligente", declarou Harold em seu tom profundo, reflexivo e com um sotaque apenas um bocadinho britânico, "mas temo que seja um filhinho de mamãe". O caso não era tão simples como Harold supunha, mas fiquei honrada com a sua preocupação.

Mitch me apoiou em duas grandes decisões de carreira. Depois que fiz a entrevista para o emprego que finalmente assumi na *Harper's Magazine*, ele veio ao meu apartamento e passou um dia inteiro comigo, pesando prós e contras da mudança. Enquanto eu estava ao telefone com vários conselheiros, incluindo o professor Bloom, Mitch garatujava perguntas para eu fazer. Mais tarde, quando decidi deixar a *Harper's* por outra revista, telefonei para Mitch, que, na época, visitava os pais em Portland, para discutir interminavelmente o assunto. Não havia ninguém melhor que ele para discutir dilemas. Não que estivesse menos perdido que eu sobre o que fazer, mas estava tão excitado quanto eu em relação aos dois fenomenais trabalhos entre os quais eu tinha que escolher. Mitch estava totalmente a postos quando eu necessitava dele para coisas assim.

Finalmente ele se decidiu sobre o que deveria fazer e tinha até uma agente dos sonhos em mente para a travessia. Mandou para ela o novo romance que esperava que representasse. Quando ela telefonou para discutir receios em relação ao manuscrito, Mitch insistiu numa reunião. Fez com que ela e seu assistente se sentassem e explicou o que não estavam entendendo. Eles assinaram com ele na hora. Já mencionei que Mitch podia ser incrivelmente persuasivo quando queria?

Havia outro momento em que Mitch abandonava o papel de adolescente infeliz que normalmente representava e parecia o homem de 42 anos que era de fato. Isso ocorria nos domingos de manhã, quando se recolhia com o Relatório de Fundos Mútuos do *The New York Times* para ver como seus investimentos se comportavam. Embora Mitch não tivesse contratos na época em que namorávamos, não estava de forma alguma falido. Tinha um bocado de dinheiro no banco, proveniente do adiantamento, dos *royalties* e de um contrato para o cinema de seu primeiro livro. Mas, em vez de gastar o dinheiro, ele o investira em fundos mútuos. Quantos caras podem apresentar uma garota à Electroclash e ao índice de fundos? Sete anos depois, meu CD da Ladytron junta poeira e minha conta no Vanguard perde valor consistentemente. Fico com eles a despeito da atual volatilidade. Posso jogar fora o CD; nunca gostei dele mesmo.

Mitch mantinha seu custo fixo baixo, seu aluguel era barato e as camisas de algodão Brooks Brothers vinham do Exército da Salvação (embora gastasse em "calçados tênis", como os chamava; era importante ter os Adidas ou Pumas certos). Ele parava para avaliar quaisquer roupas e sapatos velhos que os vizinhos deixassem na frente de casa para doar (um costume das casas de arenito castanho do Brooklyn), ou aquelas que os viciados em drogas vendiam na estação do metrô da Segunda Avenida, a maioria muito provavelmente roubada de carros. Eu suspeitava que fazia isso principalmente para me irritar, então o estimulava. "Sim, esses sapatos de fato são bonitos, experimente-os", dizia. Quando eu não o estava alimentando, ele estava em casa comendo cachorros-quentes. Uma rara noite em que fiquei em seu apartamento fiz uma fritada de ovos e ervilhas congeladas da mercearia da esquina. Mitch fez uma oração antes de comermos, agradecendo a Deus por mim e por sua nova agente.

Fritada frugal

1 xícara de ervilhas congeladas (ou frescas se você tiver a sorte de tê-las — Mitch nunca tinha)
Sal
1 colher de sopa de manteiga
1 colher de sopa de azeite de oliva
1 cebola roxa pequena picada
6 ovos

Pimenta moída na hora
¼ de xícara de parmesão ralado na hora

Encha de água metade de uma panela média, ponha em fogo alto e deixe em fervura lenta. Junte as ervilhas e um pouco de sal e cozinhe por 5 minutos. Escorra e ponha de lado para esfriar.

Misture a manteiga e o azeite numa panela de metal ou qualquer outro refratário em fogo médio, acrescente as cebolas e cozinhe até que fiquem quase macias.

Preaqueça a grelha (parte de baixo do forno).

Bata levemente os ovos, depois polvilhe o sal, a pimenta, o parmesão e as ervilhas frias. Aumente um pouco o fogo sob as cebolas e junte a mistura dos ovos; deixe-os assentar, depois mexa uma ou duas vezes com uma colher de madeira. Depois que o fundo estiver firme, ponha a panela na parte de baixo de forno e cozinhe até que a parte de cima esteja dourada, mais 3 a 4 minutos. Vigie constantemente — com a grelha passam-se apenas poucos segundos entre um dourado bonito e um terrível queimado.

Remova do forno e deixe a fritada descansar 1 ou 2 minutos. Sirva na frigideira ou ponha num prato.

Rendimento: 4 porções.

Convidei Mitch para o Dia de Ação de Graças com minha família em Connecticut. Sua única alternativa era jantar com um grupo de velhos do AA. Ou, pelo menos, foi o que disse. Mitch era especialista em desvalorizar os amigos, a família, ele próprio e a maioria das situações em que se encontrava. Pensei que fosse pose; talvez fosse aquilo que realmente acreditava. Ele discutiu a resposta ao convite durante três dias. Então, ligou, a voz trêmula de medo:

— Eu quero ir para a sua casa no Dia de Ação de Graças.

Tempo de focar noutro dilema: o que Mitch levaria de presente para a minha mãe? Eu queria que ela gostasse de Mitch, então esse era um dilema para mim também.

— Ela gosta de chocolate — eu disse.

— Mas não sei de que tipo comprar.

Fiz com que Mitch me encontrasse na Maison du Chocolat, que era do outro lado da rua onde ficava o meu escritório. Tudo na Maison du Chocolat custa uma fortuna. Na verdade, a simples ideia de Mitch de pé dentro da Maison du Chocolat me faz dar risadinhas, até mesmo agora, quando estou escrevendo, mas impressionar minha mãe era mais importante que alguns momentos de desconforto para Mitch numa loja luxuosa de chocolate francês. Levamos uns bons 20 minutos examinando as prateleiras até achar algo adequado, que fosse bonito e não quebrasse o banco ferozmente protegido de Mitch: uma grande barra de chocolate para bolos. Entregá-la à minha mãe foi outro trauma com que Mitch não conseguiu lidar, então eu o fiz enquanto ele ficava de pé ao meu lado. Expliquei que esse era um chocolate muito bom para fazer doces, mas que ela poderia simplesmente partir um pedaço e comer, se quisesse, exatamente como a vendedora da loja nos disse. Minha mãe ficou deliciada. E Mitch também.

Durante o jantar, minha família perguntou como eu conhecera Mitch.

— Me apaixonei por ela numa festa três anos atrás, mas ela nem me notou. Quando ela não tinha mais nada para fazer, me ligou — anunciou Mitch.

Mitch não gostava de ter sucedido Ethan. Sabia que eu quisera me casar com meu último namorado porque me sondou sobre a razão do rompimento, e eu lhe disse a verdade. Também tentei dizer-lhe que eu e Ethan não demos certo porque Mitch era o meu "destino".

— Não sou seu destino! — ele disse. — Sou apenas o cara seguinte no banco, chamado para jogar porque não havia ninguém mais. "Ei, você é baixinho e não é o melhor jogador, mas terá de ser você mesmo", berra o treinador. "Vá para lá!"

Na verdade, a única vez em que pensava em Ethan naqueles dias era quando Mitch fazia essas cenas. Então, pensava, obrigada Ethan, obrigada por me jogar aos cães dessa forma. Sim, no começo eu estava entusiasmada por ter Mitch para jogar na cara de Ethan — temo que o desejo de vingança corra na parte siciliana do meu sangue —, mas agora descobria que Mitch podia me fazer feliz em coisas que Ethan jamais poderia. Os dois poderiam muito bem ser de planetas diferentes, comigo adaptando-me a cada meio de vida loucamente diverso enquanto habitava seus respectivos territórios. Mitch me tornava consciente da miríade de coisas que Ethan não podia dar. O sexo, por exemplo: não que Ethan e eu não tivéssemos uma boa vida sexual. Digamos apenas que Ethan era melindroso em coisas que Mitch não era. Agrada-me ter experimentado o tipo de paixão que tive com Mitch. Naturalmente, eu não sabia o que estava perdendo quando estava com Ethan. Mas é apenas isso: não conhecemos todas as possibilidades, então não há razão para nos perturbarmos por estar perdendo alguma coisa, não que se possa convencer alguém que tenha sofrido uma perda, certamente não eu, que fiquei meses de luto por Ethan após nosso rompimento.

Mitch foi o único homem que namorei que sentia ciúme, ou ao menos admitia isso. Eu achava isso agradável. Eu me encolhia quando pensava nas ex-namoradas de qualquer um dos meus namorados e ruminava com frequência sobre as de Mitch. Podia contar a Ethan todos os detalhes românticos do meu namoro com Kit e ele não se retraía. Mitch não queria saber da história e não queria conhecer Kit. Uma tarde, antes de um encontro em perspectiva com um editor em minha empresa, Mitch parou em meu escritório, onde viu um e-mail de Ethan na tela do meu computador. Não falou nisso na hora, mas não me telefonou após o encontro, e eu sabia que alguma coisa tinha acontecido. Na manhã seguinte, me mandou um e-mail dizendo-me o que vira. "Estava sentado diante do meu editor e tudo em que podia pensar era: por que esse cara ainda manda e-mails para ela? O que está acontecendo? Ela está me usando para levá-lo a se casar com ela? Ela nunca me disse que eles ainda se falavam ou mantinham contato. E conto para ela toda a minha interação com as minhas ex."

Ethan e eu não estávamos em contato. Aconteceu apenas de nos encontrarmos no metrô naquela manhã, e ele escrevera para se desculpar por estar um pouco "desligado".

Até mesmo algo tão insignificante quanto salsinha podia provocar Mitch. Uma noite eu estava picando um maço de salsinha na minha tábua de cortar carne de 30cm, que resvalava na bancada de 15cm da minha pia. O ruído perturbou Mitch. Ele pensou que eu estivesse extravasando raiva dirigida a ele. Eu tinha minha cota de razões para estar aborrecida com Mitch, mas não naquele momento; queria apenas que a salsinha ficasse bonita.

Tirando o ruído de uma altercação ocasional com uma erva, as coisas caminharam bem entre nós na temporada de férias. Mitch pediu que me reunisse à família dele na casa de férias que tinham no México, no dia de Natal. Embora houvesse passado bastante tempo com os Binder e isso não tivesse acrescentado nada, vi o convite como sinal de seriedade da parte de Mitch. Aceitei imediatamente e não me permiti lamuriar sobre a passagem de avião, porque, como comprei um tanto próximo do último minuto, me custou mais que qualquer coisa que já comprara antes. Mitch foi para Portland para passar duas semanas antes do Natal e voou para o México de lá. Fiquei em Nova York para comer lagostas e muitas outras criaturas do mar na noite de Natal com minha família e depois tomei um avião às 5h da manhã do dia de Natal. Às 14h estava deitada numa praia do México com Mitch, bebendo Fanta e ouvindo Joseph Arthur em meu iPod. A casa dos Smith, de reboco branco e telhado de terracota, era cercada de flores. Atrás dela havia uma pequena ponte que cruzava um canal e levava ao oceano. Mitch e eu tínhamos uma suíte pequena no andar de baixo, com banheiro particular, onde lagartos corriam à noite. A casa era parte de uma comunidade onde numerosos vizinhos dos Smith em Portland tinham casa de férias. O pai e a mãe de Mitch estavam lá, assim como a irmã dele, o cunhado e os dois filhos pequenos.

A mãe de Mitch fez um peru do Costco de Puerto Vallarta para o jantar de Natal. Estava um pouco ressecado, mas a vista do oceano Pacífico que admirava enquanto o comia umedeceu-o imediatamente. Levei para os Smith um saco dos cookies de Natal de minha mãe e uma grande caixa de chocolates de Jacques

Torres que a Sra. Smith pôs na prateleira da cozinha, mas nunca tocou. Mitch disse que eles estavam com medo daqueles chocolates, pois, tal como Daisy Buchanan com as camisas de Jay Gatsby, nunca haviam visto chocolates tão bonitos na vida. Mas tudo isso era apenas parte da encenação de Mitch. Mesmo assim, nunca abriram o chocolate, e eu não tenho explicação melhor.

Os Smith eram muito vigilantes em relação a não tomar a água mexicana. Usávamos água mineral para tudo, até para escovar os dentes. "E certifique-se de manter a boca fechada com força quando estiver no chuveiro", instruiu a Sra. Smith, apertando bem os próprios lábios para demonstrar. Verduras estavam proibidas. O mesmo para a maravilhosa comida vendida nas ruas da qual eu ouvira falar; os Smith me olharam como se eu fosse louca quando falei nisso. A mãe de Mitch e a irmã gostavam de ir ao mercado para olhar os habitantes locais e a produção, mas nunca pensaram em comprar coisa alguma. Nunca lhes ocorrera que escaldar as verduras em água fervente as tornaria seguras para comer. Adotando minha ideia empreendedora, a Sra. Smith trouxe vagens e batatas, que fervi e temperei com azeite de oliva, alho e um pouco de vinagre; nós as comemos com os bifes que o Dr. Smith estocara num gigantesco *freezer*. Ele preparava para nós coquetéis de vodca e suco de laranja — "toddies", como os chamava — enquanto eu cozinhava.

Salada de vagem e batata para gringos

450 gramas de vagem (ou ervilhas compridas, ou ervilhas verdes, ou como quer que você as chame)

450 gramas de batatas asterix pequenas
1 dente de alho picado
2 colheres de sopa de azeite de oliva extravirgem
1 colher de sopa de vinagre de vinho tinto
½ colher de chá de sal
Pimenta moída na hora

Ponha duas panelas grandes de água no fogo e deixe ferver. Enquanto isso, tire as extremidades das vagens e corte ao meio as batatas. Quando a água estiver fervendo, ponha as verduras, cada qual em sua panela. As vagens vão levar cerca de 6 minutos, e as batatas, de 12 a 15 minutos. Prove as duas para ver se estão a gosto. As vagens devem estar macias, mas ainda um pouco firmes. Quando estiverem assim, remova-as com uma escumadeira ou passe-as num coador, depois jogue água fria nelas para parar o cozimento — ou, melhor ainda, jogue-as numa grande vasilha cheia de água e gelo e passe-as pelo coador novamente. Isso vai impedir que continuem a cozinhar e lhes dará uma cor brilhante. Pode deixar os vegetais esfriarem antes de temperá-los, misturando ambos com alho, azeite, vinagre, sal e pimenta.

Rendimento: 6 a 8 porções.

A irmã de Mitch, Penelope, estava passando por alguma tensão matrimonial com o marido, Michael, enquanto estávamos todos lá. Mitch e eu não precisamos saber qual era o problema; assim que o vimos usando uma camiseta que advogava "Paz a qualquer preço", tivemos toda a explicação de que necessitávamos e um motivo de riso para os anos vindouros. Alguém que fosse tão sério jamais sobreviveria com um Smith. Séria também era a família em seus esforços para fazer a paz entre o casal, tanto que queriam correr o risco real de nos deixar ir a um restaurante para celebrar o aniversário de Mitch. Contanto que ficássemos longe da alface e dos cubos de gelo, a Sra. Smith imaginava que ficaríamos bem. Não ficamos. No meio da noite, Mitch e eu fomos atingidos pelo esperado dissabor. Ele sucumbiu primeiro: acordei no meio da noite e não o encontrei. Ele não estava na cama, não estava no nosso banheiro.

— Usar o banheiro daqui seria compartilhar demais — Mitch explicou ao voltar. — Pensei que apresentar você aos meus pais e ao meu cachorro já era o suficiente para essa viagem. — Não muito depois de Mitch, fui atingida. Senti tanta dor que desmaiei no chão do banheiro. Mitch teve de arrombar a porta para me resgatar. E por falar em compartilhar!... Por mais que tudo isso soe embaraçoso, não foi. Nossa doença nos uniu, e fiquei comovida com o cuidado e o heroísmo de Mitch. (Sem falar no contraste gritante que isso revelou entre ele e Ethan: se eu alguma vez desmaiasse no chão do banheiro sob o olhar do meu último namorado, ele simplesmente me deixaria morrer e ficaria deitado na cama com a máscara para os olhos sobre o rosto.) Minha doença me humanizou para Mitch. Afinal, eu não era "perfeita", disse.

Mitch e eu estávamos em voos separados para Nova York na madrugada do Ano-novo. Quando nos separamos no aeroporto no México, Mitch disse: "Telefono para você quando chegar em casa." Então, 2002 amanheceu comigo desejando boa saúde e sorte ao motorista de táxi que me levava de Newark para casa. Verifiquei as mensagens a noite inteira. Mitch não telefonou.

Tolice minha pensar que aquela viagem marcaria o fim do comportamento imprevisível de Mitch. Imaginando que, se um avião da AeroMéxico tivesse caído em algum lugar das Carolinas, eu teria sabido, esperei até as 14h do Ano-novo antes de ligar para reclamar por ele não ter ligado. Ele não recebeu bem isso, e não nos falamos novamente por dois dias, durante os quais Mitch me encaminhou alguns e-mails da mãe dele, exclamando o quanto a família gostara de mim. Eu também tinha gostado deles. Podia me ver assumindo o papel de uma Smith e passara o voo pensando nisso, satisfeita. Isso foi antes de ele não telefonar.

Mitch achava horrivelmente literal de minha parte distorcer tudo pelo fato de ele não ligar quando chegasse à casa dele só porque dissera "telefono para você quando chegar em casa". Fomos ao seu restaurante favorito em Chinatown, Sweet-n-Tart, para discutir o assunto. Eu adorava o lugar, com suas sopas de macarrão, panquecas de cebolinha e contas que nunca ultrapassavam 14 dólares. Ia lá mesmo sem Mitch. O menu incluía uma lista de chás doces que, segundo se acreditava, tinham propriedades curativas. Cada sabor indicava o mal que aliviaria. Infelizmente, não havia nenhum anunciando que amenizaria a confusão de se estar com um cara pelo qual se sente profundamente atraída e que fazia de tudo para causar irritação.

Passamos o inverno relativamente tranquilos. Fomos ao cinema e Mitch até pagou algumas vezes. "Gosto de pagar para você", disse, numa voz matizada de espanto. Num domingo frio e chuvoso, fomos à matinê de metade do preço de *Os excêntricos Tenenbaums*. Contrabandeei para dentro do cinema uma garrafa térmica de café preparado exatamente do jeito que Mitch gostava. O filme hipnotizou, com Luke Wilson, uma espantosa trilha sonora e um casaco de *mink* Fendi desenhado especialmente para o papel de Gwyneth Paltrow. Era um hino de louvor à moda do qual até eu gostei. Quando voltamos para o apartamento, nos aconchegamos no sofá e Mitch beijou meu rosto cem vezes, contando uma a uma.

A essa altura eu era decididamente contrária a jantar num restaurante no Dia dos Namorados, e isso era uma coisa boa também. Não conseguia imaginar eu me sentando com Mitch e desfrutando o menu degustação à luz de velas. Mesmo assim, depois de passar minha cota de Dia dos Namorados sozinha, ou indo jantar com minha mãe viúva, sempre fiz questão de celebrar a data, com ou sem alguma companhia masculina em minha vida. Mas o que servir para Mitch? Champanhe estava fora de questão. Ele não daria a menor importância para ostras e caviar. Não, simplesmente carne com batatas era motivo de festa para ele. Quando anunciei que faria carne assada, ele questionou minha sabedoria. Mas não deixei que aquilo me detivesse; não podia adivinhar o que se passava na mente de Mitch quando se tratava de nós dois, mas podia determinar as necessidades de seu paladar, e carne assada com molho era do que ele sentia falta. Eu estava certa. Mitch disse que foi a coisa mais gostosa que comeu na vida. Ele fez uma porção de coisas certas naquela noite. Apareceu à porta de casaco e gravata (da loja de pechinchas, naturalmente), trazendo um buquê (de cravos, mas mesmo assim).

— Foi a primeira vez que comprei flores para uma garota — disse.

O bolo de camadas de chocolate que fiz para a sobremesa devia ter ficado cor-de-rosa suave, mas a mais leve gota do corante imediatamente transformou a cor da confecção em rosa-shocking. Era uma cor terrivelmente adolescente, mas Mitch não se importava com coisas de meninas; a capa de seu primeiro romance era rosa-shocking. Nem comentou o fato de o bolo ter glacê demais e estar torto. Comeu até a última migalha. Isso enterneceu meu coração de doceira.

A mãe de Mitch é uma carne assada ianque

1 (1,35 a 1,8kg) lagarto ou alcatra para assar
Sal e pimenta
2 colheres de sopa de azeite de oliva
2 cenouras
2 talos de aipo
1 cebola média
1 dente de alho
1 xícara de vinho tinto seco
1 xícara de molho de carne
1 colher de sopa de pasta de tomate
1 folha de louro
Alguns ramos de tomilho ou 1 colher de chá de tomilho seco
225 gramas de espaguete fininho
1 colher de copa de manteiga
1 colher de sopa de salsa picada

Tempere a carne com o sal e a pimenta. Aqueça o azeite de oliva numa panela grande em fogo médio/alto. Doure a carne de todos os lados, deixando que crie uma boa casca, cerca de 5 minutos por lado.

Depois que a carne estiver marrom, remova-a da panela, acrescente as verduras picadas e um pouco mais de azeite, se necessário. Cozinhe as verduras com um pouco de sal até que estejam macias e um pouco marrons, 5 a 10 minutos. Acrescente o vinho e o caldo de carne, raspando os pedaços marrons que se acumularam no fundo da panela. Ponha a carne novamente na panela e deixe até chegar à fervura lenta. Acrescente a pasta de tomate, a folha de louro e o tomilho, abaixe o fogo e cubra a panela. Cozinhe por 3 horas, virando a carne a cada 30 minutos para o cozimento ficar uniforme.

Quando acabar o tempo, remova a carne para uma tábua de cortar e cubra-a com papel laminado. Retire o molho da panela e coloque-o numa panelinha (poderá acrescentar manteiga se quiser). Cozinhe o espaguete de acordo com as instruções do pacote. Escorra, acrescente a manteiga, fatie a carne e sirva o macarrão coberto com o molho e salpicado com a salsinha picada.

Serve dois, com o bastante para sanduíches no dia seguinte.

Bolo rosa-shocking

(adaptado da lata de cacau do Hershey's)

Para o bolo

2 xícaras de açúcar
1 ¾ de xícara de farinha de trigo sem fermento
¾ de xícara de pó de cacau (quanto melhor a qualidade, melhor o bolo; sou devotada à Valrhona, mas o Hershey's é bom)

1 ½ colher de chá de bicarbonato de sódio
1 ½ colher de chá de fermento em pó
1 colher de chá de sal
2 ovos deixados fora da geladeira 30 minutos
½ barra de manteiga, derretida e esfriada ligeiramente
1 xícara de leite integral
2 colheres de chá de baunilha
1 xícara de água fervendo

Preaqueça o forno a 170 graus. Unte generosamente com manteiga e polvilhe com farinha duas formas de assar de 20cm e forre com papel vegetal.

Numa vasilha grande, misture os ingredientes secos. Acrescente os ovos, a manteiga, o leite, a baunilha e bata em velocidade média por 2 a 3 minutos, até que todos os ingredientes estejam misturados e os pedaços de cacau dissolvidos. Junte a água fervendo, mexendo sempre. Ponha a massa nas formas e cozinhe até que um testador de bolos saia com migalhas úmidas, 30 a 35 minutos. Deixe esfriar por 10 minutos nas formas, depois transfira para grades de esfriar. Espere até os bolos esfriarem completamente antes de cobrir de glacê.

Para o glacê

½ barra de manteiga macia
450 gramas de açúcar de confeiteiro
3 a 4 colheres de sopa de leite
1 colher de chá de baunilha
Corante (quantidade excessiva) culinário cor-de-rosa

Misture todos os ingredientes com um misturador elétrico em baixa velocidade até a mistura ficar cremosa. Acrescente leite se necessário. O truque é não deixar o glacê muito fino nem muito grudento.

Alguma coisa sempre dá errado para mim esteticamente quando faço esse bolo, mas é sempre delicioso.

Rendimento: um bolo de 20cm, ou 24 bolinhos pequenos.

Nosso primeiro rompimento real aconteceu depois que Mitch e eu passamos o dia com sua amiga Francine, de Portland, uma fanática da moda que estava além da idade e do peso requeridos para o esforço. Francine viera a Nova York para fazer companhia à mãe que se recuperava de uma cirurgia. Mitch e eu pegamos o trem para New Rochelle para vê-la.

— Mamãe, Mitch está aqui! — berrou Francine para a mãe, no quarto da doente, no andar de cima, quando chegamos. — Diga olá para mamãe — ordenou a Mitch.

— Olá, Sra. Simon — gritou Mitch obedientemente.

Passamos o dia rodando pelas lojas de pechinchas de Westchester, a começar pela padaria Entenmann's, onde compramos três caixas de rosquinhas cobertas de chocolate por 1 dólar cada. Francine encontrou um fantástico vestido de seda azul para mim no enorme depósito do Exército da Salvação em Portland. Depois voltamos para a casa de Francine, onde bebemos café e comemos as rosquinhas.

— Diga adeus para mamãe — disse Francine a Mitch antes de nos levar de carro até a estação.

— Adeus, Sra. Simon — disse Mitch quando saímos pela porta de tela.

Mitch pareceu anormalmente quieto na viagem de trem para casa, mas imaginei que pensava em Francine. Caminhamos da Grand Central Station até a estação do metrô na rua 42, a mesma estação onde Mitch e eu nos despedimos depois do nosso primeiro encontro. Passamos pela mesma cerca de ferro onde nos beijamos pela primeira vez oito meses antes. Recriamos o momento, depois nos beijamos um pouco mais na plataforma do metrô. Quando chegamos ao meu apartamento, Mitch afundou no sofá, lágrimas nos olhos.

— Você não gosta dos meus amigos.

— Fui legal com Francine! — eu disse. — Não fiz a maior festa para o vestido que ela achou pra mim? — Eu fiz, era um vestido fantástico e coube perfeitamente; eu usarei até que ele fique em farrapos.

Mitch partiu na manhã seguinte; a caixa de rosquinhas que deixou para trás foi a única coisa doce numa semana difícil. Comi uma rosquinha todas as manhãs. Quando éramos pequenos, minha mãe costumava deixar para nós, pela casa, caixas de rosquinhas como aquela, e uma caixa nunca durava mais que um dia, então eu nunca soube que as rosquinhas cobertas de chocolate da Entenmann's amadurecem; ficam mais e mais deliciosas a cada dia que passa.

Depois de alguns dias, recebi o telefonema usual de Mitch pós-reunião dos AA, mas, desta vez, não pediu para vir dormir; queria me encontrar para um café.

Eu sabia que era o fim.

Chequei meu rosto no espelho antes de deixar o apartamento, me perguntando qual deveria ser minha aparência numa ocasião dessas. A sua maquiagem tem de estar perfeita quando você está a ponto de ser dispensada? A caminho da Halcyon, uma cafeteria/bar/loja de discos/mobília clássica (o lugar mais ao estilo de Williamsburg em minha vizinhança), eu me sentia como uma condenada a caminho da execução.

Mitch chegou primeiro e lá estava com seu café. Pedi um para mim e depois me sentei. Conversei casualmente a princípio e, depois, Mitch deu início ao que eu já sabia que viria.

— Acho que devemos terminar — disse, mas chorava enquanto dizia isso. Depois, começou a falar nos momentos felizes: — Penso em nós indo ao cinema com uma garrafa térmica de café numa sacola de viagem — disse enquanto soluçava.

— Mas por que está terminando comigo, se isso está fazendo você chorar? — perguntei. — Obviamente existe algum sentimento profundo envolvido. Acho que você deve chegar a um acordo com as razões pelas quais precisa de mim.

— Sei que tenho razões de precisar [sic] de você — choramingou — e tenho tentado, mas simplesmente não consigo.

Eu alternei entre confortá-lo e tentar convencê-lo de que ele conseguiria. Até trouxe à luz meu plano de uma casinha nossa em Williamsburg.

— Você poderia usar seu dinheiro para a entrada, e eu poderia pagar a hipoteca com meu salário. — Existe alguém no mundo, além de mim, que introduza um arranjo imobiliário fantasmagórico numa conversa de rompimento?

NÃO HOUVE MAIS rosquinhas nem Mitch. Naquelas primeiras noites, eu me deitava na cama e gritava no travesseiro em agonia. De dia, me perguntava onde ele estaria. No domingo à tarde, estaria num bar em Red Hook, onde estava programado para uma leitura. Não me era mais permitido ir lá. Os lugares dele não eram mais meus.

Mas uma festa para o nosso amigo comum Henry era tanto lugar dele quanto meu. Fiquei tão doída ao ver Mitch lá que acabei saindo cedo para encontrar consolo em meu sofá e num pacote de American Spirits Light (embora não fumasse havia quase dois anos) com Ginia, que foi comigo à festa. Meu desespero havia sido prematuro. No dia seguinte, Mitch me escreveu e nos vimos poucos dias depois. Seríamos amigos. Saímos e partilhamos uma bandeja de frutas e queijos, e ser amigos era divertido; fomos levando.

— Não é muito mais fácil ser minha amiga? — disse Mitch quando o deixei no metrô.

Sim, era. Meu desespero com o nosso rompimento tinha sido substituído por um contentamento tranquilo com o nosso recém-encontrado status. Então, uma noite, Mitch foi ver TV em meu apartamento depois de um desses encontros, e o que aconteceu em seguida foi ele tentar me beijar.

— O que está fazendo? — perguntei.

— Não sei — respondeu.

Era impossível sermos amigos. A amizade colorida, por outro lado, continuou por mais um ano. Eu o levei a um jantar onde o herói dele, John Updike, falou; ele me levou ao México novamente. Mas sempre que eu tinha um lampejo de esperança de que as coisas pudessem dar certo entre nós, Mitch me derrubava. Um dia recebi um e-mail dele que dizia mais ou menos assim:

"Ei, G,

Sei que ficamos juntos e transamos, ou o que for, mas não tenho vontade de ter uma namorada neste momento.

M.

Eu escrevi:

Nunca mais quero falar com você.

Cheguei muito perto de manter a promessa. Está bem, dormimos juntos uma vez um ano ou dois depois disso. E temos contato ocasional agora. Na época em que não nos falávamos, Mitch, que não queria uma namorada, ou o que fosse, se casou. Também publicou muitos livros e fez outro acordo para um filme. Ele não cresceu, mas isso poderia ser uma boa mudança em sua carreira.

Marcus Caldwell comia e corria

"Vou me casar com aquela mulher" era tudo que eu precisava ouvir. Eu já o vira fazendo alongamento e se arrumando antes do nosso jogo de *softball*, mas, na verdade, não se podia ignorar Marcus, seu cabelo branco espetado, os aros Wayfarer de seus óculos, os tênis verdes Kermit-the-Frog. Era um homem já avançado na meia-idade, com um estilo artístico que o tornava alguém em quem eu podia pensar, embora, na realidade, não tenha pensado nele até ouvi-lo dizer que queria casar comigo.

Foi a primeira vez na história que a *Harper's Magazine* venceu uma partida de *softball* contra o nosso rival literário visível, *The New Yorker*, e nossa fragmentária equipe (vestida com nossas camisetas e nossos bonés, enquanto os oponentes se apresentaram num uniforme com logo fornecido pelo proprietário corporativo deles) estava de ótimo humor. Como diretora de Relações Públicas, aproveitei a oportunidade para elevar o moral interno e mostrar à concorrência o nosso tremendo espírito esportivo oferecendo-me para pagar drinques a vencedores e vencidos no Tap a Keg, bar não muito longe do Central Park. Marcus estava sentado num lugar em diagonal ao meu no bar, conversando com Elizabeth, uma de nossas editoras. Eu estava do outro lado, comendo pipoca e conversando com os estagiários de verão. Marcus ficava me olhando, sorrindo para mim, acenando e mexendo os lábios para dizer "obrigado" sem emitir som, enquanto levantava a cerveja num brinde a mim. Quando me levantei para circular, Elizabeth me disse que ele estava fazendo perguntas a meu respeito. "Quem é aquela mulher? Vou me casar com ela", disse várias vezes, segundo me contaram.

Fui para o lado de fora, onde os fumantes, Marcus entre eles, se reuniram. Peguei um cigarro dele e me apresentei. Marcus era cartunista; pedi a ele que descrevesse alguns de seus cartuns. Ele me falou num que incluía um casal na cama e um elmo para bicicleta. Não entendi a piada.

— Isso acontece com frequência — disse, num tom satisfeito de autodepreciação. Eu estava de saída, então não nos falamos muito; ele me deu um cartão com a assinatura dele em relevo no alto, junto com os detalhes pertinentes usuais, e lhe dei o meu. Voltei para dentro para dizer boa-noite aos colegas e, quando estava saindo, ele gritou: — Boa noite, Giulia! — Sua voz tinha um toque de Charles Nelson Reilly, cheio de personalidade, com uma insinuação levemente gay.

Meu plano era passar o verão sem encontros. No início da primavera, poucas semanas depois de dizer adeus a Mitch pela última vez (bem, quase pela última vez — não contabilizo encontros sexuais ao acaso com anos de diferença, nem ninguém deveria), encontrei um indiano de origem britânica no metrô. Ele me perguntou a hora e ficou conversando. Disse que era jornalista. Eu lhe dei meu cartão. Não era avessa à ideia de um relacionamento começar no metrô — na verdade, acreditava que o transporte público era um lugar perfeitamente bom para se conhecer pessoas. Minha amiga Monica Mahoney casou-se com um médico com um MBA que conheceu no ônibus M103, e essa não era a única história que eu conhecia; no entanto, o homem que conheci se transformou exatamente no tipo de pessoa que se pode descobrir no metrô. Embora fosse bonito e usasse roupas bonitas, fiquei sabendo que sua carreira jornalística consistira em uma ou outra reportagem para a BBC no início dos anos 1990. Kam não fazia nada. Deduzi (e esperava) que se sustentasse com dinheiro da família, mas finalmente descobri que o apartamento no Upper East Side, onde o deixei de táxi depois do nosso segundo encontro, não era dele. Após duas semanas de encontros, admitiu que vivia com uma mulher. Quando liguei para dizer que não estava interessada em vê-lo novamente, a solução dele foi me pôr na linha com ela. Antes que eu pudesse protestar, ela me disse que Kam estava envolvido em algo bom e que ela não queria atrapalhar.

Quando contei a Jen esse incidente bizarro, ela ficou tão perturbada que me pressionou a ficar com ela e Jeff por alguns dias para o caso de o cara ser perigoso (fiquei em casa e emergi incólume). Ginia desistira de me considerar uma pessoa sã. Eu devia dedicar-me a uns dias de autoanálise. Até aquele momento de minha vida, eu me considerara uma avaliadora de caráter experiente; não tinha mais tanta certeza. O rompimento com Ethan e o que aconteceu com Mitch, não importa como era a nossa relação, corrompeu qualquer capacidade de discernimento que eu tinha. Estava me tornando um tipo que nunca havia sido e nem queria ser: uma mulher que namora qualquer um só para namorar alguém.

UM E-MAIL DE Marcus Caldwell me esperava quando cheguei ao trabalho na manhã depois de nosso encontro.

> *Giulia,*
>
> *Você saiu cedo demais na noite passada.*
>
> *Gostaria de pegá-la e pagar 82 drinques para você.*
>
> *Está livre hoje ou amanhã à noite?*
>
> *Marcus*

E, com isso, meu período de reflexão acabou. Queria ter um encontro com Marcus; queria sair com Marcus naquela noite. O que me fez vacilar não foi a leve preocupação de que aceitar o convite para aquela noite me faria parecer fácil de conquistar, foi mais o fato de não estar vestida para um encontro. Cansada dos festejos da noite anterior, eu rolara para fora da cama e, sem pensar muito, vestira simplesmente uma saia e uma camiseta. No meu armário no Brooklyn havia um vestido novinho que pensei em usar antes de decidir que minha roupa comum combinava melhor com meu estado de espírito. Rapaz, como lamentei não ter optado por aquele vestido justo de jérsei de seda azul com o padrão de bambu!

Depois de algumas consultas com os suspeitos de sempre, decidi que uma viagem rápida de ida e volta ao Brooklyn não era tão complicado assim. Sairia do trabalho cedo e resolveria outras coisas também. Marcus me disse que viria do Harlem em sua Vespa. Eu não lhe revelaria as elaboradas manobras que empregaria para chegar ao Blue Ribbon, restaurante popular do Soho, com chefs e bon-vivants. Marcus era mais com certeza um bon-vivant, embora mais velho.

Quando cheguei, ele estava na entrada, com um copo de vinho branco já pela metade. Fiquei um pouco hesitante ao ver como parecia velho sem as roupas de *softball* e vestido com uma camisa social azul e calça cáqui gasta. Quando meus olhos, ajudados pelo copo de vinho que peguei para mim, se acostumaram aos cabelos brancos e às rugas, fui capaz de relaxar em sua companhia. Tudo isso levou 5 minutos.

Levamos nossos copos para uma mesa perto do bar e pedimos uma dúzia de ostras, uma *especialité de la maison*. Ouvi a história da família recentemente dissolvida de Marcus. Tinha dois filhos de 20 anos, ambos na cidade de Nova York. Quando eram pequenos, todo o clã havia passado alguns anos numa *villa* próxima a Lucca, onde Marcus pintava e sua mulher cuidava do jardim; daí a Vespa e a queda de Marcus por coisas à italiana. A filha dele vivia agora no Queens com o namorado; o filho era um ator que também era baterista de uma banda que estava tocando perto dali naquela noite. Gostaria de vê-los? Pode apostar! Combinamos e Marcus me apresentou à Vespa verde-menta; ele tinha um capacete verde-menta combinando e um capacete preto pequeno para o carona, guardado sob o assento. Subi na Vespa alegremente, passando os braços em torno da cintura de Marcus, sentindo-me um pouco desconfortável com a intimidade rápida imposta por esse meio de transporte. A camisa de algodão de Marcus era macia, seu torso agradavelmente firme e há muito a dizer em favor de uma viagem por Greenwich Village na garupa de uma moto, numa das primeiras noites do verão. Fiquei seduzida, o que era, sem dúvida, a intenção por trás da aquisição. Aquela Vespa tirava dez anos de cima dele.

Marcus me apresentou ao filho, que era bem bonitão, até com o corte de cabelo *mohawk* que usava para um papel num filme de estudante. No Kenny's Castaways tomamos cerveja e ouvimos a banda. Tocavam um tipo de rock country, meu estilo favorito. Fiquei sentada lá, imaginando-me madrasta desse jovem de idade mais próxima à minha, em comparação à diferença da minha idade à do pai dele. Estranhamente, a fantasia não era desagradável; eu caminhara uma distância bem grande em duas horas. O negócio era que eu tinha uma habilidade notável para transformar qualquer cenário naquilo que queria ver: eu, com um marido. Minha imaginação tinha a flexibilidade de uma ginasta chinesa de 13 anos de idade.

A banda terminou de tocar por volta da meia-noite. Marcus e eu fizemos mais uma parada para comer hambúrgueres e tomar vinho tinto no Florent, restaurante pioneiro disfarçado de velho restaurante no Meatpacking, distrito hoje charmoso de Manhattan. O Florent (que fechou em 2008, partindo o coração de muitos nova-iorquinos) ficava aberto a noite toda, alimentando os frequentadores de boates e travestis da cidade. Embora não fôssemos nenhum dos dois, era o único lugar em que eu podia pensar que nos serviria comida àquela hora. Depois do repasto tardio, Marcus e eu planamos pela ponte do Brooklyn na Vespa, aterrissando em frente à minha casa, onde Marcus se demorou, mostrando-me fotos de suas pinturas, que guardava no mesmo compartimento onde ficava o capacete. Também guardava um guia Zagar ali, para escolher restaurantes enquanto se deslocava. As fotos eram boas, mas, àquela altura, eu estava tão determinada a gostar desse homem que me convenci de que estavam mais que boas e que, na verdade, eu estava com um Max Beckmann não descoberto. Nós nos beijamos na entrada de casa e eu passei por aquele ajuste inicial novamente. Afastar-me depois de um beijo e ser confrontada com tantas rugas era chocante, tipo beijar meu pai. Aos 37, eu dificilmente era ingênua, no entanto, e Marcus parecia tão excitado comigo que não pude evitar de ficar eu mesma um pouco tonta.

"Senti sua falta quando voltava para casa pela rodovia Franklin Roosevelt na noite passada", dizia o e-mail na manhã seguinte.

Para nosso segundo encontro, dois dias depois, Marcus atenciosamente escolheu um restaurante do Brooklyn que eu elogiara exageradamente no primeiro encontro. Antes me encontrei com ele no Lower East Side, um bar que ele escolheu e do qual eu nunca ouvira falar. Para alguém vinte anos mais velho que eu, Marcus certamente conhecia bem os lugares aonde ir na cidade. Depois de um par de copos de vinho tinto, partimos para o Brooklyn na Vespa. Enquanto esperávamos num sinal na saída da Ponte do Brooklyn, as pessoas nos olhavam admiradas de seus carros. Devíamos parecer um casal muito bonito, o artístico Marcus com seu cabelo branco louco espetado no alto da cabeça, e eu num suéter de cashmere rosa-claro e uma saia brilhante de gomos. Não teria de cozinhar para Marcus; já lhe prestava um grande serviço emprestando minha juventude ao cenário dele de velhinho diferente. Eu também gostava do que essa ligação fazia pela minha imagem. Acrescentava uma dimensão boêmia que até então faltava ao meu perfil.

No Locanda Vini & Olii em Fort Greene, pegamos uma mesa do lado de fora. A conversa se voltou para relacionamentos passados, um desvio frequente em primeiros encontros. Revelou-se que Marcus acabava de sair de um com alguém que eu conhecia. Esse tipo de acontecimento não é incomum em Nova York, que é muito mais parecida com Mayberry do que você acreditaria, ao menos nos círculos que frequento. Todos nos conhecemos, e eu me aventuraria a dizer que o grau de separação sexual entre mim e todas as pessoas que conheço flutua em torno de um. Renee Lachaise havia sido deflorada por meu amigo Conrad Peterson poucos anos antes. Sei muito mais sobre esse calvário do que gostaria, tanto antes quanto agora, especialmente agora. Comecei a calcular a idade dela em minha cabeça e, não importava quantos cálculos fizesse, não chegava a um total reconfortante. Ela era, no mínimo, dez anos mais jovem que eu. Marcus e Renee tiveram um longo caso antes de ele deixar a mulher e o lar semirrural para hibernar com ela em 152 metros quadrados no Upper West Side. Agora que eu sabia que ele havia namorado alguém ainda mais jovem que eu, o sentimento de ser o troféu-bebê na Vespa do artista excêntrico se fora. A revelação tirou um pouco de vento das velas do meu barquinho.

Mas não tanto que eu deixasse de convidar Marcus a vir ao meu apartamento para um Prosecco. Eu não disse sexo, eu disse Prosecco!

— E se eu levasse você para o quarto e fizesse amor com você? — disse Marcus quando estávamos bebendo e nos acariciando no sofá. Mas recusei sua sugestão inspirada em Rhett Butler, personagem de Clark Gable em *...E o vento levou*. Podia ter encerrado ali minha moratória de namoro, mas iria devagar desta vez.

Tão devagar, na verdade, que em menos de uma hora eu já o convidara a ir a Connecticut para o fim de semana para as comemorações do Dia da Independência, que estava próximo, onde ele conheceria minha mãe e tia Marie e, provavelmente, acabaríamos dividindo uma cama. O número de homens que concordaria com uma expedição dessas cinco dias depois de conhecer alguém é infinitesimal. Mas Marcus se encontrava entre essa ínfima minoria. Em minha mente, ele exibia uma refrescante ausência de neuroses que é rara na cidade de Nova York, onde todo mundo analisa demais. O macho típico da variedade de trinta e poucos anos, pelo menos, se retrairia diante de um convite desses, temendo que implicasse compromisso. Mais um argumento de venda para o homem (muito) mais velho!

— Vou para Connecticut e vou levar um homem que é mais da sua idade que da minha — disse à minha mãe em conversa pelo telefone na manhã seguinte. Eu sabia que ela não se importaria; tudo que me levasse a Connecticut para um fim de semana estava bem para ela. Eu poderia levar Charles Manson posto recentemente em liberdade condicional e a única preocupação dela seria se ele ainda era vegetariano.

— Bom — ela respondeu sem hesitar —, sempre achei que você precisava de alguém mais velho.

Depois do trabalho, encontrei-me com Marcus no apartamento dele no Harlem; pegaríamos o carro dele e iríamos até Connecticut de lá. Marcus morava num prédio pobre numa parte sombria da cidade, mas aceitei como charme o lado decadente do lugar. Havia mármore sob a sujeira do piso daquele saguão, e Marcus tinha um espaço considerável, sem mencionar a excelente vista do rio Hudson e da parte norte de Nova Jersey. Imaginei grandes festas lá. Marcus me disse que recentemente dera uma festa e oferecera ostras e cerveja. Eu não sabia como abrir as ostras e me perguntei se isso seria um problema.

As paredes do apartamento estavam cobertas de pinturas de Marcus, e pilhas delas se alinhavam contra as paredes.

— Podemos levar algumas para o seu apartamento e pendurar lá — ele disse.

Gostei da ideia. Do que não gostei foi da foto de 20cm por 25cm dele com Renee Lachaise na parede e detestei o e-mail emoldurado de Renee Lachaise pendurado perto da cama dele. "Eu amo você", dizia o bilhete. No entanto, ignorei resolutamente aquelas exibições e me concentrei no meu dilema de abrir as ostras. Eu certamente não disse nada a Marcus, pois isso implicaria assumir que eu tinha consciência daquelas declarações. De qualquer forma, muitas pessoas têm a habilidade de passar rapidamente de uma relação para outra, mais rápido ainda que o tempo que leva para tirar as recordações do relacionamento das paredes. Eu estava contando com que Marcus fosse uma dessas pessoas.

Pegamos alguns CDs para a viagem; eu trouxera alguns dos meus também.

— Isso é tão revigorante — Marcus exclamava com sua voz enfática sempre que tocava algum dos CDs que levei.

Eu também havia levado 70's Super Hits, imaginando que isso lhe agradaria, mas Marcus parecia ter perdido bandas do período, como Supertramp e ELO, as que eu gostava; devia estar ocupado criando os filhos. Ou, talvez, simplesmente, nossos gostos fossem diferentes.

Minha mãe e tia Marie vieram à varanda da frente para receber Marcus quando chegamos, no carro velho dele. "Alô, senhoras!", ele entoou, saudando-as com o calor e a animação que funcionaram às mil maravilhas comigo. Ele se daria bem com minha família, pensei, enquanto orgulhosamente lhe mostrava a casa e depois a mesa no pátio coberto atrás da casa. Minha mãe, que estava ficando um pouco descuidada com a cozinha, produziu um notável jantar em antecipação ao que provavelmente imaginava e esperava que fosse um sofisticado cavalheiro mais velho. Marcus pareceu encantar o matriarcado, e me senti tão à vontade que não acreditava que o tivesse conhecido apenas dias antes.

Jantar para impressionar um cavalheiro mais velho

Filé grelhado e marinado

900 gramas a 1 quilo de fraldinha
¼ de xícara de azeite de oliva
¼ de xícara de vinagre de vinho tinto
1 dente de alho picado
1 colher de chá de orégano seco
½ colher de chá de sal
Pimenta moída na hora

Ponha a carne numa vasilha ou numa bolsa Ziploc com os outros ingredientes e deixe marinar por 30 minutos sobre a bancada da pia ou de um dia para o outro no refrigerador.

Preaqueça a grelha do forno. Cozinhe por 4 a 5 minutos de cada lado para obter carne meio malpassada. Corte fatias finas.

Rendimento: 4 a 6 porções

Batatas asterix fritas

450 gramas de batatas asterix pequenas
1 colher de sopa de azeite de oliva
1 colher de sopa de manteiga
Sal

Ponha as batatas numa panela grande, cubra com água e leve à fervura. Cozinhe-as durante 15 minutos mais ou menos, até ficarem quase macias. Escorra, deixe as batatas esfriarem um pouco, depois corte cada uma em quatro pedaços.

Numa frigideira grande e pesada em fogo médio/alto, ponha o azeite de oliva e a manteiga. Quando a manteiga borbulhar, acrescente as batatas até que dourem de cada um dos lados sem casca cerca de 7 minutos por lado.

Seque em papel-toalha, polvilhe com sal.

Porção: 4 pessoas.

Agora que ele conhecera minha mãe e tia Marie, fazia sentido esconder alguma coisa de Marcus? Eu tinha algumas razões para ser prudente — o fato de ele ter acabado de me conhecer, a presença reneelachaisiana em seu apartamento —, mas não tomei cuidado. Ele estava em minha casa, eu tinha uma camisola rosa novinha com estampa de pele de leopardo (mais elegante do que parece), do mesmo designer que fizera o vestido azul com padrão de bambuzal, e ela favorecia minhas curvas.

— Seu corpo é como o que eu sempre sonhei, mas nunca vi — disse Marcus.

O dele também não era ruim, melhor que os de muitos trinta e alguma coisa que conheci.

— Trabalhei numa pedreira durante todo o verão quando era adolescente e isso simplesmente ficou — ele disse quando lhe perguntei como era possível. Sabendo o que sei agora, não acho que estivesse dizendo a verdade, mas, na época, eu transbordava aceitação e simpatia.

Levantamo-nos quando o sol nascia e fomos para a praia; foi uma descoberta estar lá tão cedo. Quem poderia supor que o sol se levanta exatamente em Long Island Sound e que pessoas saem para saudá-lo com cachorros que saltam e latem? Olhei para o sábado anterior, que passara em casa sozinha, vendo a final feminina do French Open enquanto comia melancolicamente o salmão grelhado com manteiga de limão e estragão que costumava fazer para Ethan. No supermercado, esbarrei com um amigo de Mitch, o que não ajudou a aliviar toda a dor que sentia com o rompimento recente. Nunca teria previsto que uma semana depois teria um fim de semana amoroso com esse cara diferente, que estava me apresentando a prazeres que nunca conhecera num lugar onde estivera muitas vezes. Nunca notara como o cheiro de água salgada impregnava nossa casa até Marcus chamar minha atenção para isso. Nadamos com a maré alta em praias que eu nunca visitara. Ocupamos duas espreguiçadeiras pousadas em frente a uma das muitas casas que fingiam ser mansões ("Casa de Gatsby", Marcus as chamava) e que, em ritmo abrupto, substituíam os chalés ao longo da margem. Sentávamos nelas para um coquetel antes do jantar bebendo cervejas com limão. Marcus fotografou cada momento com sua câmera digital. Mamãe cuidou da comida.

— Este é o melhor fim de semana de minha vida! — Marcus repetia.

Quando voltei ao escritório na terça-feira, a primeira coisa que ele fez no dia foi me telefonar para reiterar o sentimento: "Obrigado pelo melhor fim de semana da minha vida!"

Olhando em retrospectiva, isso era um pouco insultante para os filhos dele. Poderia um fim de semana comigo, minha mãe e tia Marie ser realmente tão bom quanto o primeiro fim de semana em casa com um recém-nascido? Concordo que deve ser estressante, mas também deve haver um encantamento nisso muito maior que descobrir meu corpo, ou as panquecas de tia Marie.

Uma onda de calor adiantou-se ao verão, o que adiou a apresentação de minha comida a Marcus. Até eu tinha limites e, talvez reveladoramente naqueles dias, tinha ar-condicionado no quarto, mas não na sala de estar, onde ficava a cozinha. Isso não quer dizer que sosseguei. Fui ao Dean & DeLuca, o caro empório gourmet perto do meu escritório e peguei uma variedade de carnes curadas, queijos e uma baguete para comermos no jantar e o melhor iogurte grego com pingos de mel para tomar no café da manhã. Estávamos acabando com uma caixa de Bordeaux branco que eu comprara no início do ano. Não me importava com o preço das coisas. Não havia preço a colocar na afeição que eu queria demonstrar por Marcus, e se não podia mostrar isso a ele por meio dos meus talentos na cozinha, bem, então simplesmente teria de passar do limite nas compras. Marcus me mostrou a mesma generosidade quando fui ficar com ele. Perto da Universidade de Columbia, onde estacionava a Vespa, havia um grande e maravilhoso mercado, onde Marcus conseguiu regalos semelhantes: morangos gigantes, iogurte de Vermont, suco de laranja orgânico e um bom café. De lá tomamos o metrô a duas paradas do apartamento dele. Ele não estacionava a Vespa perto de casa porque a vizinhança era complicada demais. Isso era tedioso e tirava um pouco da vantagem de ter um namorado com rodas, mas não criei caso por isso.

Nem precisei lhe pedir que removesse o "Eu te amo" de Renee Lachaise da parede (o retrato 20 x 25cm pendurado na parede do estúdio veio abaixo por vontade própria), e eu, inspirada por aquela missiva, fiz a mesma declaração para Marcus ridiculamente cedo. Ele disse que me amava também.

Meus amigos, em sua maioria, não tinham problemas com o fato de Marcus ser vinte anos mais velho que eu. Ginia estava previsivelmente entusiasmada, como tende a ficar todas as vezes que namoro alguém que tem um emprego. (Embora eu não tenha certeza de que você chamaria de emprego o que Marcus tinha. Era difícil saber como ele ganhava algum dinheiro. Quanto se podia ganhar com cartuns na *The New Yorker?* E os deles eram escolhidos só esporadicamente. Suas posses dependiam do fluxo de suas ideias e dos caprichos do editor de cartuns da semana. Mas o Harlem não é muito caro, suponho.) Houve atraso na apresentação porque, na época,

Ginia estava conhecendo o homem com quem finalmente se casaria e passava a maior parte das noites sozinha com ele. Quando Marcus e eu aparecemos em seu apartamento uma noite, quando Ginia estava no meio de um de seus primeiros encontros, ela ficou impressionada com o jeito descontraído de ficarmos juntos. Eu estava confiante com minha convicção de que encontrara um relacionamento não convencional que realmente parecia servir para mim.

Nos domingos à noite, véspera das reuniões semanais entre os cartunistas na *The New Yorker* e o editor, eu tentava ajudar Marcus a criar legendas para pôr nos desenhos que ele fazia. Era assim que ele gostava de trabalhar, imagem primeiro, palavras depois. Eu nunca conseguia sugerir nada bom, por mais que quisesse ajudá-lo em seu fluxo de caixa. Marcus aproveitava qualquer oportunidade para se exibir nos escritórios da *Harper's Magazine*, onde encontrava muitos de meus colegas, a maioria dos quais se lembrava dele no jogo. Ele saiu para tomar drinques comigo e Lewis Lapham, editor da revista — até esse meu mentor mais velho parecia aprovar.

Apenas Jennifer Romanello — ex-colega de trabalho que se transformou em amiga íntima que cumpre o papel da prudência em minha vida, tanto nos fronts da carreira quanto nos românticos — não estava acreditando na relação.

— O que você vai fazer com *ele*? — perguntou.

— Não sei, amá-lo pelo resto de minha vida? Casar com ele?

Ela zombou da ideia com uma meia risada, acompanhada de um aceno debochado, ferindo minha alma não prática.

Mas o que ela sabia? Casara-se aos 20 anos com um professor que se apaixonara por ela na época em que ambos ainda estavam no oitavo ano. Ela não podia entender como o amor tinha sido difícil para mim e como era possível que um divorciado de 57 anos pudesse ser interpretado como uma boa aposta em minha vida. E eu ainda não contara a ela sobre a última namorada dele.

Marcus e eu íamos quase todos os fins de semana a Connecticut, onde nem minha mãe nem minha tia zombavam — ao menos não ao alcance do meu ouvido. Ele realmente explorava aquele lugar, e eu quase não acreditava em como estava me divertindo com ele lá. Marcus, outrora um hippie de rabo de cavalo, sabia fazer pão e empolgou aquelas duas senhoras levantando-se cedo e assando biscoitos para o café da manhã. Encontramos um mercado de fazendeiros numa cidade próxima que eu nem sabia que existia. Num raro fim de semana em que minha mãe ficou na cidade, fui responsável pelo jantar. Fiz hambúrgueres de carne de cordeiro acompanhados de fatias de tomate do mercado, borrifadas com azeite de oliva e sal grosso, acompanhados de uma salada de massa do tipo *orzo* com queijo de cabra. Criamos bolinhos antiquados de morango com restos de biscoito, partindo-os ao meio e cobrindo-os de morangos e creme batido. Tia Marie, a mulher que nunca conhecera uma sobremesa de que não gostasse, foi conquistada por Marcus naquela noite. Nós três tivemos uma refeição completamente divertida no pátio coberto atrás da casa. Foi a melhor ocasião que passei com minha tia.

Hambúrger de carne de cordeiro

680 gramas de carne de cordeiro moída
½ xícara de hortelã fresca moída
2 dentes de alho amassados
1 colher de chá de páprica
1 colher de chá de sal
½ colher de chá de pimenta-de-caiena
¼ de colher de chá de canela
1 colher de sopa de azeite de oliva

Combine todos os ingredientes, dê-lhes a forma de tortinhas, asse numa grelha, sob o forno ou sobre o fogão, de 5 a 7 minutos de cada lado. Não os sirvo com pão, sirvo-os com:

Salada de *orzo* com queijo de cabra

(adaptado da revista *Gourmet*)

225 gramas de *orzo*
Sumo e casca de um limão
¼ de xícara de azeite de oliva
¼ de colher de chá de sal
Pimenta moída na hora
¼ de xícara de pinhão tostado
¾ de xícara de queijo de cabra em pedacinhos
½ xícara de cebolinha-verde, apenas as partes verdes, cortadas fino

Cozinhe o *orzo* de acordo com as orientações para massa na página 31. *Orzo* é uma massa de rápido cozimento devido ao seu pequeno formato, semelhante a grãos de arroz. Portanto cheque a partir dos 6 minutos.

Numa vasilha média, misture suco e casca de limão, azeite de oliva, sal e uns grãos de pimenta moída. Quando o *orzo* estiver cozido, coloque-o na vasilha e mexa. Espere esfriar, depois acrescente os ingredientes remanescentes. Acrescente sal e pimenta à vontade.

Número de porções: 4.

Bolinhos de morango de Marcus

Não tenho a menor ideia de como ele os fez. Eu usaria Bisquick.*

— Parece que ele não irá embora — eu disse para minha mãe no dia em que estávamos indo de carro para o Stop & Shop em Connecticut, aquecendo-me nesse sentimento de segurança recentemente descoberto.

— Parece que você é que terá de se livrar dele — ela disse, sem nenhuma nota dissonante na voz, ao menos que eu detectasse. Foi somente depois disso que eu soube que ela achava que Marcus estava de saco cheio desde o início. Na época, ela expressava suas reservas de modo sutil, como me aconselhar contra viagens longas (para Connecticut, por exemplo), no carro de Marcus. Ela também não gostava de me ver na garupa da Vespa Ignorei esses pequenos apelos.

Fazia tempo que eu não sentia aquele tipo de apego de alguém. Marcus telefonava constantemente. Ele queria me ver o

* Massa originalmente criada para fazer biscoitos de forma rápida, porém é usada em grande variedade de receitas, de pizzas a bolos. (*N. da E.*)

tempo todo. Eu fora tão afetada por decepções passadas que precisava da necessidade dele por mim para me sentir segura; assim, eu me tornava disponível o tempo todo. Se ele me telefonava no trabalho às 16h para dizer que estava perto dali, eu largava tudo que estivesse fazendo para ir a seu encontro. Às 17h, ele estaria bebendo vinho branco gelado na minha cama. Num dia chuvoso, quando o tempo esfriou o suficiente para eu acender o fogão, fiz uma massa deliciosa para Marcus, espaguete levemente coberto por óleo de trufas, polvilhado com parmesão. Este é um prato simples e elegante, um luxuoso e romântico jantar para quando tudo que você quer é ficar na cama.

Espaguete ao óleo de trufas branco

Sal
225 gramas de espaguete (ou espaguete fino)
3 colheres de sopa de óleo de trufas branco
Parmesão ralado na hora
Pimenta moída na hora

Cozinhe o espaguete de acordo com as instruções para massa na página 31. Escorra e ponha-o de volta na panela, acrescente óleo de trufas. Divida em dois pratos, volte para a cama, leve a pimenta e o queijo.

Roupa é opcional.

Renee Lachaise era um tópico que reaparecia de vez em quando, da mesma forma que Ethan, que era uma contraparte mais apta para Renee que Mitch, que me deixou mais desconcertada que de coração partido. E, para provar que nenhum nova-iorquino é um estranho absoluto para outro, Marcus ouvira falar em Ethan antes de me conhecer. Estranhamente, Renee o mencionara para Marcus porque uma amiga dela conhecia Ethan e tinha uma atração por ele da qual falava incessantemente. Havia ainda outra ligação entre Marcus e Ethan. O filho de Marcus namorava Emily, prima de Ethan, a quem eu conhecia muito bem; nós até jantamos com ela em Florença durante o semestre dela no exterior. Fiquei tão espantada com todas essas coincidências que não resisti a telefonar para Ethan e dividi-las com ele. Ethan conhecia Marcus também, de seu período na *The New Yorker*. Ele pode ter achado estranho eu estar namorando alguém tão velho, mas não fez qualquer comentário. Ethan, eu soube naquela conversa, havia rompido com minha sucessora, então eu magnanimamente o fiz saber sobre a admiradora secreta dele, que se revelou não tão secreta no final das contas, apenas uma velha amiga de Ethan com quem ele ficara bastante tempo e que sentia por ele mais do que ele sentia por ela. Isso soa familiar?

Mais ou menos por volta da quarta semana, as coisas com Marcus começaram a ficar um tanto diferentes. Notei isso primeiro quando estava sentada com ele numa rocha perto da água na maré baixa. Percebi que aquele sentimento bom que inicialmente eu tinha com a presença dele se fora e em seu lugar havia... tédio. Entrei em pânico, embora ficasse em silêncio, e vasculhei meu cérebro, tentando entender o que havia mudado. Deduzi que a minha afeição por Marcus se baseava na alegria escapista de me ver pelos olhos dele, os olhos de quem não tinha ideia de quem eu era, mas havia concluído instantaneamente que eu era a melhor coisa desde o pão fatiado. O peso disso era tão grande que fazia até Connecticut parecer excitante. O idílio fora adorável, mas lá, naquela pedra, o encanto mágico parecia encerrado.

Quando meus sentimentos mudaram, o comportamento de Marcus também mudou. Não posso dizer ao certo o que aconteceu primeiro. Só sei que ele não era mais o padeiro confiante que fazia biscoitos. Quando minha mãe — ainda achando que o ardor de Marcus era imutável — pediu-lhe que tirasse as folhas das calhas, ele não estava exatamente assobiando enquanto trabalhava, como estava quando animadamente tirou as ervas daninhas dos canteiros de flores (na parte da frente e de trás da casa), naquele primeiro fim de semana, aquele que fora o melhor da vida dele.

Recusei-me a aceitar a simples probabilidade de que Marcus e eu podíamos não ser as pessoas ideais um para o outro. Eu queria tanto que um relacionamento desse certo que continuei com esse presumido pássaro na mão, esperando que, se apenas conseguisse ajustar meus parafusos, as coisas seriam do jeito que foram no Quatro de Julho. Não contei a ninguém o que estava sentindo, apenas deixei-os acreditar que eu estava extremamente feliz com *papi*. Numa tentativa de compreender por que as coisas subitamente não funcionavam mais, me saí com minha explicação padrão: algo estava errado comigo. Esta era sempre uma esplêndida manobra de retirada, porque, se esse era o caso, havia esperança de que eu pudesse dar um jeito. O desconforto irá embora se eu me esforçar um pouco mais, ou fizer algo que tenha um gosto bom, realmente bom.

Que a onda de calor se dane, tempos desesperados exigem medidas desesperadas — quando voltamos para o meu apartamento no Brooklyn, fui para o fogão e fiz esse parmesão com berinjelas do mercado de fazendeiro de Connecticut. Ficou extraordinário, e Marcus conseguiu recrutar aquele superzelo dos velhos tempos, mas não o bastante para salvar nossa minguante harmonia.

Berinjela à *parmigiana* ineficaz

3 berinjelas grandes
½ xícara de azeite de oliva; reserve uma colher de sopa
1 cebola picada
1 colher de chá de orégano seco
1 lata (800 gramas) de tomates picados (ou inteiros se você estiver disposta a amassá-los com um misturador manual ou um processador; eu não)
1 colher de sopa de vinho tinto
1 grande pitada de açúcar
1 xícara de folhas de manjericão fresco
¼ de xícara de nozes, picadas e tostadas
⅓ de xícara de farinha de rosca
1 colher de chá de azeite de oliva
½ xícara de parmesão ralado na hora
1 xícara de muçarela ralada

Preaqueça o forno a 230 graus.

Corte as berinjelas transversalmente em pedaços de 1,5cm, coloque-as numa forma e pincele cada lado com ½ xícara de azeite de oliva. Deixe assar de cada lado por 15 minutos.

Enquanto isso ponha aquela colher de sopa de azeite de oliva numa frigideira grande em fogo médio, acrescente cebola picada e frite até a cebola ficar macia (cerca de 5 a 7 minutos).

Junte orégano e mexa, depois acrescente os tomates; deixe em fervura lenta, cubra e diminua o fogo. Cozinhe durante 20 minutos, acrescente o vinho, o açúcar e o manjericão.

Enquanto o molho está cozinhando, pique as nozes e toste-as numa frigideira pequena em fogo baixo, depois acrescente a farinha de rosca e misture tudo acrescido de uma colher de chá de azeite de oliva.

Quando as berinjelas estiverem marrons dos dois lados, remova-as do forno e reduza o calor para 190 graus.

Ponha um pouco do molho no fundo de um pirex de 20x20cm (ou qualquer pirex que você tenha que possa acomodar a berinjela e a maior parte do molho), depois polvilhe um pouco de parmesão em cima. Acrescente uma camada de berinjela seguida de molho, um pouco de muçarela, um pouco de parmesão e continue até que todas as berinjelas sejam arrumadas no pirex. Cubra com uma mistura de farinha de rosca e nozes e cozinhe até que doure e borbulhe, cerca de 35 a 40 minutos.

Serve vocês dois, mais as três outras pessoas que você gostaria que estivessem lá para manter a conversa fluindo.

No fim de semana seguinte ficamos na cidade. Aqueles dois dias se estendiam diante de mim como uma eternidade. Como faria para atravessá-los? Na sexta-feira, fomos com o filho dele para ver o Jicks tocar no Prospect Park. Chovia a cântaros e nos protegemos sob jornais que encontramos no lixo, mas poderíamos tê-los deixado lá, pois nem pai nem filho sabiam quem era Stephen Malkmus. Sábado foi um dia espantoso, mas me senti presa — não que tenha me ocorrido tentar fugir.

Não queria ferir os sentimentos de Marcus e, de qualquer maneira, não saberia o que fazer sozinha. Não era a primeira, nem, infelizmente, seria a última vez que me sentiria atingida pela síndrome de Estocolmo.

Fomos ao Central Park e tomamos picolés; isso levou cerca de duas horas. Era 13h30, muito tempo ainda até o jantar. Eu estava vivendo de refeição em refeição; ao menos na hora de comer havia algo para fazer e, melhor ainda, algo para beber. Pegamos o caminho longo de volta para o Brooklyn de Vespa, passando pela ponte da rua 59, cruzando Long Island City, Williamsburg e Fort Greene; então sugeri dar uma volta por Red Hook e olhar um pouco a extraordinária vista da baía e da Estátua da Liberdade. Esta foi uma boa ideia, exceto pelo fato de a Vespa ter passado por cima de algo que furou o pneu. Agora eu estava presa com Marcus, levando a Vespa a pé no meio do nada, procurando um lugar para consertá-la. Não estávamos longe do apartamento do meu irmão, então fomos para lá, e Matthew ajudou Marcus a estacionar a Vespa. Estávamos presos no Brooklyn sem a Vespa, com duas longas horas até o jantar.

Enquanto estávamos no apartamento do meu irmão esperando chegar uma hora razoável para jantar, Matthew mencionou que uma de nossas primas italianas escrevera à procura de um lugar onde alguns amigos dela pudessem ficar quando visitassem Nova York. Eu não estava inclinada a desistir do meu apartamento, mas Marcus insistiu em que eu ficasse com ele e os deixasse ficar no meu apartamento durante uma semana. Que alma gentil e generosa. Eu devia estar feliz com ele. Por que não estava?

Marcus assumiu a comissão de entretenimento quando Sonia e Andrea chegaram. Ele ficou empolgado por sair com italianos de verdade e por sua filha poder polir as enferrujadas habilidades linguísticas. Ele as levou a um jogo de *softball* do *New Yorker* no Central Park, combinou jantares em restaurantes étnicos em cantos de Nova York longe dos roteiros turísticos. Seus esforços melhoraram um pouco meu ânimo. Sonia e Andrea ficaram superimpressionadas. Elas acharam que éramos um casal fantástico e, pelos olhos delas, eu mais uma vez nos vi dessa forma também.

Quando elas se foram, Marcus se tornou algo evasivo. Ele não me telefonava mais para anunciar cada movimento seu; agora ficava em modo AUSENTE automático por longos períodos. Sua atitude de artista de meia-idade itinerante e despreocupado desapareceu. Uma multa de trânsito, a que não teria dado importância em nossos primeiros dias, o fazia espumar de raiva. Ainda íamos todos os fins de semana a Connecticut, mas Marcus não queria mais ouvir minha música, antes tão revigorante, em nossa ida até lá. Em vez disso, ouvíamos suas melancólicas misturas de fundo musical de bar. O tipo de coisa que os namorados malcomportados de minha irmã Carla costumavam ouvir nos anos 1970 quando vinham ficar no nosso quarto de brinquedos e usavam meu carrinho de boneca como cinzeiro. Eu não gostava daqueles caras e não gostava da música deles. A lembrança não ajudou muito minha missão de ressuscitar a atração por Marcus.

Uma noite, quando estávamos no apartamento dele, a campainha do interfone soou. Marcus a ignorou. Ela tocou e tocou. Depois ouviu-se uma batida na porta do apartamento. Marcus foi até lá, voltou e me disse que era uma mulher maluca, procurando um cara chamado Paco.

— Eu lhe disse que Paco não vivia aqui.

Na manhã seguinte, eu me levantei bem antes de Marcus e fui para a cozinha fazer café. O bom café francês que ele costumava comprar acabara; em seu lugar havia um Café Bustelo barato, o tipo de café que se compra num armazém. Eu costumava bebê-lo em meus dias de assistente de publicidade esfomeada. Montei a máquina de expresso de Marcus, mas algo saiu errado e pó de café molhado ricocheteou por toda a cozinha. Eu tentava freneticamente enxugar a cozinha com uma esponja mofada, morrendo de vontade de tomar café e me perguntando por que Marcus, que costumava saltar da cama quando o sol nascia, ainda não acordara. Não havia café, nem suco de laranja e nada para comer. Quando Marcus finalmente emergiu e eu fui trabalhar, ele não esperou o elevador comigo, como sempre fazia; me deixou sozinha lá.

Então, anunciou que passaria o próximo fim de semana na casa do lago que sua família tinha no Canadá nas férias anuais com os filhos e a ex-mulher.

— Eu convidaria você, mas...

Entendi. De qualquer maneira, não sentia vontade de sair de férias com ele, a ex-mulher e os filhos. Marcus queria deixar a Vespa estacionada no pequeno jardim em frente à minha casa enquanto estivesse fora. Na sexta-feira antes de viajar, tínhamos entradas para ver os Brooklyn Cyclones, um time local menor da liga de beisebol, que ele realmente queria assistir. Não tive notícias dele durante todo o dia. Passei a tarde com Kit numa liquidação de artigos de segunda mão, esperando que Marcus me ligasse, e quando Kit me ajudava a arrastar um quadro para casa, nós o encontramos à minha porta, esperando. A pintura, uma reprodução de Watteau, inspirou em Marcus uma nova explosão de falsa integridade, e ele se ofereceu para pintar alguns pontos da tela que estavam corroídos. Ele era difícil de ler; parecia emburrado à minha porta, mas, depois, se metamorfoseou no bom sujeito, sempre disposto a ajudar, especialmente em arte.

Quando fomos de Vespa para Coney Island, no entanto, minhas mãos pareciam deslocadas em volta da cintura dele, e Marcus não estava falando muito. Alarmado com os preços no estande de vendas, ele comprou uma cerveja e um saco de pipoca para dividirmos. Não muito depois de nos sentarmos nas arquibancadas descobertas, notei que a cerveja fora removida de seu lugar inicial para a mão direita de Marcus, que eu não alcançava. Ele não estava preocupado com a minha necessidade de álcool, ou com os jogadores em campo. Nem o homem vestido como uma bola de beisebol gigante que dançava entre as filas de cadeiras nos intervalos podia arrancar alguma reação dele. No sétimo intervalo, houve um espetáculo de fogos de artifício na praia. Marcus nem olhou.

— Isso está meio chato — disse, e fomos embora.

Marcus estacionou a Vespa em frente à minha casa e tomou o metrô para a casa dele. Na manhã seguinte, viajou para o Canadá.

— Telefono para você quando chegar lá — disse ao sair. — Acho que terei de fazer isso, já que você nunca telefona para mim.

O que era aquilo? Não conseguia compreender o que era ou de onde vinha, mas também não podia mais negar que alguma coisa estava muito errada. Estava com dúvidas acerca de

Marcus havia semanas, mas, certamente, era apenas eu, pondo barreiras numa estrada onde não havia nenhuma. Eu não tinha nenhuma prova palpável que explicasse minha falta de satisfação, além, talvez, de uma falta de vontade de limpar calhas ou de falar ao telefone. Eu era uma profissional em ignorar essas coisas e trabalhar em meus próprios problemas. Eu ia melhorar, então ele melhoraria, e nós seríamos felizes de novo, exatamente como naqueles primeiros cinco minutos mais ou menos do que deveria ter sido meramente uma aventura divertida, imprópria, de verão.

Não podia aguentar outra história dando errado, não importava quanto a história estivesse errada. Passei o sábado morrendo de preocupação com o que podia ter acontecido. O comportamento original de Marcus era uma recordação, mas ele nunca se comportara com hostilidade, como na noite anterior. E, embora não estivesse me fazendo feliz, não queria perdê-lo. Minha família o conhecia e (tanto quanto eu podia dizer) gostava dele. Ginia torcia por nós, e a maioria dos meus amigos e colegas testemunhou nosso primeiro encontro, e aqueles que não estavam presentes o conheceram quando desfilei com ele pelo escritório em suas muitas visitas.

O fim de semana estava nebuloso, e eu, naquela prisão mental conhecida como esperando-o-telefone-tocar. Checava meu celular a cada dois minutos. Sábado à noite telefonei para ele. Ele, afinal, se queixara de que eu nunca telefonava. Consegui apenas seu recado na secretária. Domingo de manhã fui à missa para tentar encontrar alguma paz, mas nada funcionou. Eu coçava sem parar uma picada de mosquito que provavelmente conseguira naquele jogo idiota.

Passei a segunda de manhã num estado de estresse extremo. Jantei com meu irmão Matthew e a mulher, Elizabeth, na terça, e eles afastaram minhas preocupações. Adoravam Marcus e me convenceram de que alguma explicação lógica para o silêncio dele surgiria quando ele aparecesse.

Na quarta, na hora do almoço, fui a uma liquidação de peças de lingerie, embora achasse que aquilo podia dar má sorte à luz do que acontecia. Mesmo assim, comprei algumas calcinhas de renda. Não muito depois que voltei ao trabalho, chegou um e-mail de Marcus.

G.

Duas coisas:

Você obviamente tem falado um bocado com alguém sobre mim. Fugi com Renee Lachaise. Continuo tão loucamente apaixonado por ela quanto na noite em que nos conhecemos.

M.

Meu coração palpitava. Agarrei o telefonei e liguei para Marcus, mas ninguém atendeu em sua casa ou no celular. (Como se alguém tão covarde fosse atender o telefone, mas eu não estava raciocinando direito.) "Você não pode terminar comigo assim", eu dizia em minhas mensagens. Eu não sabia de que diabos ele estava falando. *Você obviamente tem falado um bocado com alguém sobre mim.*

Não apenas isso era absurdo, era raiva, e não havia nada entre nós que desse margem a isso. Que bom que ele se fora, mas o chute na cara era realmente necessário?

Por alguma razão eu precisava extrair algum sentido daquele e-mail. Tudo bem, ele "fugiu com Renee Lachaise", estava claro. Mas a "conversa sobre" ele era pura demência, e, ainda assim, fui capaz de investigar o significado daquilo com um telefonema para Ethan. Se não fosse por isso, eu poderia ao menos encontrar uma forma de me culpar pelo que havia acontecido.

"Você disse a Erin O'Brien que eu estava namorando Marcus Caldwell?" Erin era a amiga de Renee que tinha atração por Ethan, e ele tinha todo o direito de contar para ela se quisesse, esta não era a questão, é simplesmente que, se Ethan tivesse contado a Erin, então meu dicionário demente poderia traduzir o e-mail em algo tipo "se você não tivesse contado a Ethan, ele não teria voltado para Renee". A coisa toda era loucura, e eu devia estar agradecendo a Deus por aquele psicopata sair de minha vida, mas, em vez disso, na verdade, passei alguns dias lamentando ter dito alguma coisa a Ethan.

— Ele tem 57 anos, devia ter colhões — disse John Mallon, velho amigo por quem sempre tive alguma atração e com quem coincidiu de eu ter drinques marcados para aquela noite. Seus comentários engraçados me fizeram morrer de rir, e os Bellinis que estávamos bebendo expuseram as duas partículas de flerte que restavam em mim. Terminei arrastando-o para o meu apartamento apenas para dar um final melhor a um dia horrível. Tomando emprestado do episódio de *Sex and the City* em que Carrie é presa por fumar maconha no dia em que Berger termina com ela num bilhete em *post-it*: eu queria fazer com que o dia em que fui dispensada por um e-mail psicótico de um membro da Associação Americana de Aposentados se transformasse no dia em que transei com John Mallon. Ajudou estar com John quando cheguei à minha casa e vi que a Vespa tinha sido levada e encontrei o mesmo texto demente escrito à mão num bilhete que Marcus pôs embaixo da minha porta.

— Até essa linguagem revela a idade dele! — disse minha sábia Jennifer, misericordiosamente poupando-me de um "eu não disse?" quando lhe contei sobre o bilhete. — Quem fala "'fugir' com alguém" nos dias de hoje?

— Ele vai procurar você novamente — disse Ginia. — Não antes do dia de Colombo e não depois do Natal. — Ela acertou quanto a ele me procurar novamente, mas errou no *timing*. A tentativa dele de me atrair de novo começou dias antes do dia de Colombo e continuou até o Natal.

Ele telefonou. Mandou bilhetes, mandou bolinhos recheados para o meu escritório. Eram bonitos; um era amarelo com uma abelhinha em cima, o outro era branco com flores cor-de-rosa desenhadas com glacê. Mas eu nem consegui comê-los. Não querendo desperdiçar comida, mesmo dele, tentei passá-los para os meus colegas da *Harper's*, mas eles, em solidariedade, também não os comeram. Os bolinhos terminaram no lixo. Ignorei todas as suas tentativas. Tinha tanto interesse em ver Marcus novamente quanto teria em sair com Jeffrey Dahmer.*

Manter o truque do bom moço devia exigir de Marcus uma tremenda energia, especialmente na idade dele. Era esse esforço que devia deixá-lo em condições físicas tão boas e não horas sub-reptícias passadas na academia todos os dias enquanto eu estava no trabalho, como originalmente suspeitei.

Eu o exorcizei de minha vida fazendo alguns bolinhos de minha própria lavra.

---

* *Serial killer* condenado pela morte de 17 homens e garotos entre 1978 e 1991. Seus crimes envolviam estupro, necrofilia e canibalismo. (*N. da T.*)

Bolos foda-se

Para os bolinhos (amarelos, naturalmente):
Forminhas de papel para bolinhos
2 xícaras de farinha de bolo
2 colheres de chá de fermento em pó
½ colher de chá de sal
1 barra (½ xícara) de manteiga, mole
1 xícara de açúcar
3 ovos grandes, temperatura ambiente
1 ½ colheres de chá de baunilha
¾ de xícara de leite integral

Preaqueça o forno a 170 graus.

Ponha as forminhas de papel dentro de forminhas de metal para *muffins*. Misture a farinha, o fermento, o sal e reserve. Misture a manteiga e o açúcar com um misturador manual (ou uma batedeira com uma pá) em velocidade média até que esteja fofo; junte os ovos um a um, depois a baunilha, e bata até ficar suave. Reduza a velocidade do misturador e acrescente os ingredientes reservados à mistura da manteiga um pouco de cada vez, alternando com o leite até estar tudo misturado. Não misture demais, pois isso vai endurecer os bolos e você já sofreu bastante.

Unte as forminhas de *muffins* com manteiga, enchendo ⅓ de cada. Asse até a parte de cima ficar dourada e macia, 20 a 25 minutos.

Rendimento: 12 bolinhos mais ou menos.

Glacê de uísque e chocolate

(porque você precisa de um drinque)

¼ de xícara de cacau não adoçado
2 a 3 colheres de mesa de uísque (dependendo do quanto foi ruim)
4 colheres de sopa de leite
1 barra de manteiga sem sal muito mole
1 caixa de açúcar de confeiteiro
1 a 2 colheres de sopa de leite

Numa vasilha pequena, misture o cacau, o uísque e acrescente 2 colheres de sopa de leite. Bata a manteiga com um misturador manual ou uma batedeira em velocidade média até ficar cremoso, depois junte o açúcar, uma xícara por vez até ficar tudo misturado. Junte a mistura do uísque e continue a bater até a cor ficar uniforme, depois adicione leite, um pouco de cada vez até que o glacê esteja fofo e possa ser espalhado.

Não fique tão brava consigo mesma por poder comer mais de um ou dois bolinhos. Fique brava com ele! Leve tudo que sobrar para o trabalho. Seus colegas vão comer, e você se sentirá mais leve por tê-los compartilhado e por não tentar uma overdose de bolinhos.

De *Sex and the City* a freira

O episódio de Marcus deixou cicatrizes. Na verdade, com todo o devido respeito a São Francisco, senti como se tivesse sido marcada com o estigma das más experiências. Fiquei constrangida no escritório porque todos sabiam sobre Marcus, e agora (por intermédio de meu próprio relato), que ele se fora. Certamente ninguém se alegrava ou se entristecia com aquilo, mas não podemos evitar pensar que as pessoas estão mais focadas em nossa vida do que realmente estão. Eu estremecia à lembrança de tê-lo exibido pelo escritório, tão orgulhosa da conquista cheia de rugas que levara para casa depois do jogo de *softball* e de como toda a coisa se desenrolara diante dos olhos de todos.

Não precisei impor uma moratória no namoro desta vez: fiquei com distúrbio pós-traumático e estava afetada demais para sequer pensar nisso. Até os homens que eram meus amigos me aborreciam. Minha solução foi buscar a atenção daqueles que eu sabia que estavam realmente fora de alcance: "Os únicos homens de quem quero ser amiga são gays, homens casados ou padres", declarei para Ginia. As piadas seriam fáceis demais — ela se absteve de fazer alguma. E concordou em que havia um monte de ex-namorados e caras cuja ligação comigo era ambígua: Kit vivia no mesmo quarteirão com uma mulher com quem finalmente se casaria e de quem se divorciaria; Henry, o autor que uma vez beijei e que me aproximou de Mitch, morava depois da esquina e vinha até minha casa todo sábado de manhã para café com torradas; até o conhecido e-mail de Ethan aparecia no alto da minha lista de mensagens de tempos em tempos. Todos esses homens que não podiam, ou não queriam, me dar o que eu procurava, estavam ocupando espaço na minha vida. Seguindo princípios mais Nova Era que cristãos, livrei-me de todos eles para abrir espaço para coisas novas.

Então, voltei-me para a igreja que eu descobrira pouco antes de Marcus me desviar do caminho e encontrei-me com padre Joel, embora de forma profundamente casta e sancionada pelo Vaticano.

Joel é um padre que, naquela época, estava com 30 e poucos anos. Estudou em Oxford e é fluente em latim e grego antigo, não que isso fosse afetar meu diálogo com ele de algum modo, mas me agrada conhecer pessoas cultas. Joel usa óculos prateados redondos e pequenos e parece ter saído de *Brideshead revisited* (a minissérie da PBS, não o filme). Eu o conheci num jantar de novos membros, onde confessei para ele que não me confessava havia 28 anos. Brinquei que estava tentada a praticar o sacramento, mas só se isso envolvesse coquetéis. Joel prometeu Manhattans se eu lhe contasse meus pecados e manteve a promessa — só não os tomamos no confessionário, mas num bar próximo, onde fumamos e bebemos e ficamos um pouquinho altos demais. Dali em diante, ficamos no vinho tinto e bebíamos regularmente no Bacchus, um bistrô equidistante do meu apartamento e da igreja, cujos proprietários franceses tinham uma atitude indulgente em relação às leis de proibição de fumo da cidade. Joel e eu ficávamos sentados durante horas depois do jantar, bebendo café, fumando e falando. Joel fantasiava sobre fazer trabalho missionário no restaurante, trazendo a equipe francesa de volta à fé.

— Ah, França, a primeira filha da igreja — dizia com um suspiro. Ele os converteria a um expresso por vez.

Sempre quis ser amiga de um padre. A vocação, para mim, parece mais alternativa que qualquer coisa que o mundo moderno pode oferecer. Não há nada mais não convencional que desistir de tudo (ou de quase tudo) por Deus.

Como você deve ter imaginado, a igreja a que vou não é a paróquia lúgubre que muitos, incluindo a mim, associam às igrejas católicas. Ela é decorada com bom gosto, o coro é excelente e as missas de domingo estão lotadas de pessoas que não estão ali simplesmente fazendo listas mentais de compras, ou matando tempo antes do grande jogo. Há quatro padres, cada um terrivelmente atraente à sua maneira: Joel, com sua inteligência mordaz e intelecto afiado; Mark, um australiano bonito de 50 e poucos anos, que é mais direto; Dennis, cujo estilo é um pouco psicopop, de que sou fortemente a favor; e Anthony, que acabou de entrar para o sacerdócio e está cheio de boa vontade e percepção. Todos os domingos, um deles oferece uma perspectiva iluminadora da fé, e, na maioria das vezes, consegue coincidir com o que eu tenho na cabeça naquela semana. É um grande repouso da vida na cidade. Nos melhores dias, posso me perder em meditação (raro, mas acontece). Estive dentro e fora da igreja durante toda a minha vida, mas quando encontrei esse lugar, soube que ficaria. Lamentei não tê-lo encontrado antes para quem quisesse ouvir. "Você nos encontrou quando estava pronta para nos encontrar", era a resposta tranquilizadora de Joel. Talvez, talvez eu encontre aquela outra coisa quando estiver pronta também. Posso não estar tão preparada quanto acho que estou. Mesmo assim, estava tendo meu caso de amor de memória mais recente e mais reparador com aquela igreja. Não conseguia parar de falar nela. Falava com todos os católicos que conheço que iam à missa (um número pequeno) e tentava reanimar alguns que se afastavam.

Excetuando irmã Mary Virginia, que uma vez me trancou num armário no segundo ano e me disse que ia me deixar lá durante todo o fim de semana, minhas lembranças da escola católica são boas. Do primeiro para o segundo ano fui educada no claustro por freiras que usavam hábito. Irmã Aimée, minha professora no primeiro ano, era um exemplo clássico do que uma vida espiritual pode fazer por você no melhor dos casos. Ela era sorridente, beatífica, sábia. Suas unhas eram roídas até o sabugo, mas não vamos culpar o celibato por isso; com toda a minha liberdade sexual, também sou uma roedora de unhas incurável. As freiras no colegial eram mais seculares; usavam roupas civis e eram apaixonadamente politizadas — sua principal preocupação era a situação na Nicarágua; tocavam violão e cantavam músicas em louvor dos sandinistas. Inscrevemo-nos em ONGs de combate à pobreza e à injustiça e passávamos a noite no monastério fazendo sopa e assando pão. A faculdade oferecia aulas de existencialismo; líamos Samuel Beckett, Franz Kafka e Albert Camus.

A igreja me deu uma educação progressista e afugentou a solidão ocasional de minha infância. É por isso que continuo a voltar, embora seja uma escrava da carne e provavelmente não tenha o direito de estar lá.

Farta de todos os homens exceto Jesus (e até ele me confundia) e, sem nenhuma seriedade de intenção, eu me imaginei tornando-me uma freira. Normalmente, porém, meus devaneios durante o dia tendiam a ver esse chamado como uma posição temporária: eu entraria para um convento e escreveria uma memória intitulada "De *Sex and the City* à freira" e ela seria um enorme sucesso. Naturalmente, terminaria comigo me apaixonando por um padre jovem e bonito e ambos abandonando nossas ordens religiosas. Não, eu simplesmente não podia desistir da esperança de encontrar um amor para sempre. Pode chamar de fé, se quiser, mas simplesmente não posso perdê-la.

Mesmo assim, não estava em paz com minha sina. Não podia compreender por que Deus me abençoaria com habilidades domésticas afiadas e depois me negaria uma família com a qual dividi-las. Estava com trinta e muitos, queria um lar de verdade, com uma cozinha de verdade, onde meu marido e eu receberíamos meus irmãos e minhas irmãs, sobrinhos e sobrinhas, nos feriados. Eu estava empacada, vivendo no mesmo apartamento para o qual me mudara com Kit havia quase quinze anos, com a mesma cozinha diminuta. Então, como boa católica, eu disse: "Foda-se. Aceitarei minha vida tal como ela é." Passaria a Páscoa no apartamento que eu tinha, por mais imperfeito que fosse o cenário ou a situação. Se isso era o que Deus me dava, eu agiria dentro dos seus parâmetros.

A quaresma foi uma brisa. Abstive-me de sexo. O que era uma piada, pois se até os católicos tinham permissão para fazer sexo em qualquer dia do ano anterior ao casamento, não havia, no entanto, um só ser na terra de Deus que quisesse fazer sexo comigo. Mas estava tudo bem; as freiras esclarecidas que me educaram sempre diziam que era melhor fazer alguma coisa boa pelos outros que abrir mão do chocolate na Páscoa, coisa que não servia em nada para tornar o mundo um lugar melhor. Eu faria o jantar da Páscoa para a minha família, ficaria contente com a minha vida, e o meu espírito positivo iria reverberar luz para o Oriente Médio.

Kit veio e me ajudou a levar minha mesa de casa de campo de seu pequeno nicho para o centro da sala de estar depois que pedi desculpas por ter sumido um tempo. (Ele está acostumado às minhas esquisitices — na verdade, "esquisita" é o apelido que ele me deu — e ele sempre perdoa.) Comprei outra mesa do Exército da Salvação e coloquei junto à primeira para fazer uma mesa comprida e transformei o centro do meu espaço vital numa gigantesca sala de jantar. Passei semanas planejando o menu, decidindo-me finalmente por um primeiro prato de nhoque caseiro com um molho simples de tomate e manteiga, seguido do indispensável pernil de cordeiro. Fiz o nhoque na semana anterior e o congelei, depois passei cada noite da Semana Santa transportando suprimentos para o meu apartamento. Eu adorava abrir o freezer e olhar os nhoques guardados em bolsas Ziploc; sua forma, feita com um garfo e o meu polegar, era perfeita. Fui à missa da Quinta-feira Santa e da Sexta-Feira da Paixão. No sábado, comprei lírios, tulipas e narcisos. Não podia evitar sentir a dita alegria na reflexão sobre a morte e a ressurreição de Jesus, e, para compreender isso, talvez você precise ser educada por freiras.

Nhoque sem coito

Para o nhoque:

2 batatas russet
1 ovo
1 colher de chá de sal
1 pitada de noz-moscada ralada na hora
1 xícara cheia de farinha de trigo, mais farinha extra para polvilhar
Sal
Parmesão ralado na hora
Pimenta ralada na hora

Ponha as batatas numa panela com água suficiente para cobri-las, deixe ferver e cozinhe com a panela parcialmente tampada até que fiquem apenas macias, 35 a 40 minutos. Remova as batatas para uma tábua de cortar carne e tire a pele delas com uma faca de descascar assim que conseguir tocá-las, passando-as depois pelo espremedor e espalhando-as sobre a tábua para que esfriem completamente.

Misture o ovo, o sal e a noz-moscada. Junte as batatas frias num monte e vá derramando a mistura de ovo dentro dele. Comece a amassar a batata e a mistura de ovo com as mãos, acrescentando farinha aos pouquinhos, tomando cuidado para não trabalhar demais a massa.

Quando a farinha estiver misturada uniformemente com a batata e a massa ficar um pouco grudenta, divida-a em quatro partes. Dê a cada uma delas a forma de um rolo comprido e fino, como uma cobra de jardim, e corte-o transversalmente em pequenos travesseiros macios, cada um de 1,5cm de comprimento. Ponha cada travesseiro na ponta do polegar e marque-o levemente com os dentes de um garfo levemente empoados com farinha, criando uma superfície com nervuras para reter o molho. Mantenha uma vasilha com farinha perto para mergulhar os dentes do garfo, que irão ficando pegajosos — ou, melhor ainda, ponha alguns garfos extras por perto.

Ponha 10 nhoques por vez numa panela de água salgada fervente. Quando subirem para a superfície, estarão prontos. Remova-os para uma vasilha de servir com uma escumadeira ou pegador e continue a cozinhar o nhoque em porções. Jogue o molho em cima e sirva com parmesão ralado e pimenta ralada na hora.

Rendimento: cerca de 6 dúzias.

Para o molho:
(Adaptado de *Essentials of Classic Italian Cooking*, de Marcella Hazan)

1 lata (800 gramas) de tomates inteiros
½ xícara (½ barra) de manteiga
1 cebola média, sem a casca e cortada ao meio
1 colher de sopa de açúcar
¼ de xícara de vinho tinto
1 colher de chá de sal

Ponha todos os ingredientes numa panela grande em fogo médio, deixe ferver, depois abaixe o fogo e cozinhe por 45 minutos, mexendo ocasionalmente. Remova a cebola antes de jogar o molho no nhoque.

Durante esse período de celibato, tornei-me uma cozinheira promíscua; cozinhava onde e quando qualquer pessoa me chamasse. Ofereci-me como voluntária para cozinhar nas reuniões do conselho da paróquia e dos membros da igreja. Quando meus amigos Lucinda e John tiveram seu primeiro bebê, fui para a casa deles e fiz espaguete e almôndegas para os pais exaustos.

Os benefícios deles aqui eram claros: uma refeição feita em casa, um par extra de mãos, conversa adulta. O benefício para mim era tempo com o bebê deles. Estranhamente, acho que esse tempo com os filhos de outras pessoas preenche completamente meus desejos maternais. Não estou preocupada demais em ter um filho, e a verdade é que muito possivelmente nunca terei. Sem uma relação estável, não consigo fantasiar um filho — isso para mim é como me preocupar com os investimentos que vou fazer antes mesmo de marcar o bilhete da loteria (e um caso amoroso, para mim, parece tão precário quanto ganhar na loteria). Crianças estavam definitivamente incluídas na vida que eu imaginava com Ethan, mas, quando o perdi, não senti como se a perspectiva de ter filhos fosse brutalmente arrancada de mim, mas sim a perspectiva de ter uma vida com *ele*. Se encontrar outro homem a quem amar, posso querer ter filhos, mas sei que, provavelmente, é muito tarde. De algum modo, esse cenário não me assusta. Não sei como vou me sentir daqui a dez anos, mas atualmente considero uma tremenda e inexplicável dádiva estar livre desse peso. No futuro, se tiver esse desejo, pensarei na ciência ou em adotar.

Minhas visitas a John e Lucinda se tornaram eventos mensais e não importava quantas sugestões criativas eu fizesse de outros pratos, eles sempre insistiam nas almôndegas. Não me importo. Sei fazê-las de olhos fechados.

Espaguete e almôndegas para prostitutas cozinheiras e aqueles que as amam

Para as almôndegas:

450 gramas de carne bovina picada (gosto de usar acém, mas Lucinda prefere um corte mais macio; de qualquer modo, ficam deliciosas)
¾ de xícara de farinha de rosca
1 dente de alho picado
¼ de xícara de parmesão ralado na hora
2 ovos
¼ de xícara de leite
1 colher de chá de sal
¼ de colher de chá de pimenta moída na hora
½ xícara de salsinha italiana picada
1 colher de sopa de azeite de oliva, mais duas colheres de sopa reservadas para a fritura

Ponha todos os ingredientes numa vasilha grande e misture-os bem com as mãos. Faça bolas (você escolhe o tamanho).

Numa frigideira grande, aqueça as duas colheres de sopa reservadas de azeite de oliva e frite as almôndegas até que estejam douradas em todos os lados. Remova para um prato forrado com dois pedaços de toalhas de papel. Ponha de lado.

Rendimento: cerca de 20 almôndegas (de 2,5cm de diâmetro).

Para o molho:

2 colheres de sopa de azeite de oliva
Grande pitada de pimenta calabresa (opcional)
1 lata (800 gramas) de tomates italianos picados ou inteiros (a melhor escolha)
1 colher de sopa de massa de tomate
1/4 xícara de vinho tinto
2 colheres de sopa de açúcar
2 colheres de chá de sal
450 gramas de espaguete
¼ de xícara de folhas de manjericão
Parmesão ralado na hora para servir à mesa

Aqueça o azeite de oliva numa panela grande em fogo médio, acrescente a pimenta calabresa (se estiver usando-a), tomates (e seus sucos, partindo-os com as mãos, se usá-los inteiros) e massa de tomate. Junte o vinho, o açúcar, o sal e as almôndegas. Cozinhe até ferver, depois abaixe o fogo para médio/baixo; cozinhe, mexendo com frequência, por 40 minutos.

Cozinhe o espaguete de acordo com as instruções para massa na página 31. Escorra e ponha de volta na panela, depois acrescente algumas colheradas de molho e algumas folhas de manjericão retiradas do caule com as mãos. Ponha a massa em vasilhas individuais guarnecidas de 1 a 2 almôndegas (dependendo do apetite de seus amigos) e algumas folhas de manjericão. Sirva o parmesão à mesa.

Serve de 4 a 6 pessoas.

Jantares de solteira

Se uma árvore cair na floresta e ninguém ouvir, existiu som? Se eu faço um esplêndido *rigatoni* com salsichas, brócolis, cebola e manteiga e só eu saboreio, a comida existiu?

Fiquei solteira por tempo equivalente ao de comprometida e, embora prefira cozinhar para dois a fazê-lo para um, se um é tudo que tenho, cozinho para ela. Não é que eu tenha entrado nesse rega-bofe para agradar aos homens, embora eu, de fato, adore alimentar essas impenetráveis criaturas. Muitos têm encontrado auxílio nesse velho sofá verde, onde cedo ou tarde lhes ofereço um biscoito de chocolate, mas nunca o bastante para recrutá-los para uma vida de três refeições diárias reforçadas, feitas alegremente. Não culpo nenhum deles pela minha situação (bem, meio que culpo, mas não inteiramente, ao menos); minha mente lógica sabe que em cada um dos casos consegui exatamente o que estava procurando. Estou onde estou por minha causa. Ainda não cheguei ao fundo da razão disso tudo, mas tenho uma bateria de profissionais trabalhando comigo no caso.

Como cozinhar e comer bem são minhas *raisons d'être*, eu não paro quando não há mais ninguém para alimentar. Mesmo que apenas para mim, faço cafés da manhã com panquecas e salsichas, ou torradas francesas, exatamente como faria se tivesse acordado com um homem na minha cama. A ideia de ir à esquina para tomar café me parece insana. Para almoçar farei salada Niçoise com azeitonas, alcaparras, cebola roxa, tomates pequenos, salsa e atum enlatado italiano. Para o jantar, vou assar um peixe, uma carne ou inventar uma massa com o que sobrou na geladeira. Esses pratos, nascidos de combinações ao acaso, ditadas pelo que está disponível, são os que me deixam mais triste. Eles nunca serão repetidos; sou a única que saberá como ficaram deliciosos. Fico em conflito sobre se é suficientemente bom que apenas eu saiba, exatamente como fico em conflito sobre se é melhor estar com alguém ou sozinha.

Há muitas coisas de que gosto ao ficar sozinha, ou com poucas pessoas que podem me dar o tipo de paz que me faz andar por todo o meu apartamento cantando "Funny Little Frog", de Belle & Sebastian, enquanto a música emerge de alto-falantes sem fio em todos os cômodos do meu apartamento — incluindo a cozinha, naturalmente —, um sistema que planejei e instalei sozinha.

Consigo ficar ao mesmo tempo envergonhada e orgulhosa de como sou autossuficiente. Quando ia a um escritório todos os dias, hesitava em admitir para meus colegas que mal podia esperar para ir direto para casa depois do trabalho, assar um pedaço de salmão numa cama de aspargos (forno a 230 graus, punhado de aspargos borrifados com azeite de oliva, uma pitada de sal, um pouco de pimenta moída, um filé de salmão sobre os aspargos, temperado da mesma maneira, asse por 20 minutos, esprema um pouco de limão em cima, pique uma erva e ponha sobre o salmão se desejar, mas é delicioso mesmo sem), e me sentar com ele e um copo de vinho branco gelado em minha mesa de jantar *toute seule*. Naqueles tempos eu achava isso altamente preferível à socialização pós-trabalho num bar. Adoro beber, mas apenas quando há comida envolvida. Quando tinha que ir ao bar com os amigos, eu era a única a aparecer com um saco de roscas salgadas.

Existem tantos prós a ficar sozinha quanto objeções a ser parte de um casal. Sacrifícios que você deve fazer para estar num casal que não tem que fazer quando está sozinha, e muitos prazeres de ficar sozinha que se perdem quando se está ligada a outra pessoa. Como ser capaz de ver o que quer na TV — minha série atual favorita é *Gossip Girl*; acho que homem algum toleraria esse hábito (bem, Mitch poderia tolerar, mas não lhe darei a chance de descobrir). Quando você está com um homem, tem que fingir que gosta de programas como *The Wire*, que acho que nenhuma mulher gosta, embora minhas amigas casadas jurem por todos os santos que realmente, realmente, gostam (e vou acreditar na palavra delas, mas você não me pegará vendo esse programa). Ou ser capaz de viajar para Cannes com um amigo que vai lá a negócios, como fiz recentemente, sem ter que dar satisfações a alguém. E ainda tem a cama inteira para você se espalhar sozinha.

São os lençóis que me incomodam — não existe nenhum jeito neste mundo de dobrá-los direito sozinha. E aquela coisa que é divertido fazer entre eles, é preciso realmente ser um casal para aproveitar isso ao máximo. As refeições, naturalmente, são muito mais divertidas quando compartilhadas. Não posso me maravilhar comigo mesma sobre o quão perfeito está o *rigatoni*, embora eu, às vezes, o faça. Sim, por mais que goste da minha liberdade, estou convencida de que é melhor estar com alguém que não estar. Se outro motivo não existir, é muito mais fácil desculpar-se em relação a atividades sociais.

Meus próprios jantares são cheios de casais. Que escolha tenho? Quando se está com a minha idade, os leprosos que permanecem solteiros são poucos e distantes. E quando os convidados elogiam minha comida, o que me faz muito bem, também tenho de ouvi-los perguntar em voz alta como eu ainda não consegui me casar, o que me faz sentir horrível. A pessoa que traz o assunto à baila normalmente é homem, um homem casado com uma mulher que não cozinha. Termino desejando ser uma cozinheira gorda, terrível; desse jeito, minha vida faria sentido para mim. Mas meu raciocínio está errado. Pessoas gordas se casam, e mulheres que não sabem cozinhar se casam com homens lindos que cozinham para elas. Na verdade, meus dois irmãos fazem a maior parte da comida para suas mulheres, e são bastante talentosos. O que gosto mais em cozinhar para padres é que eles nunca me perguntam por que não sou casada. Também não pergunto a eles, mas se perguntasse, eles teriam o direito canônico para explicar sua situação. Não existe nada para me explicar.

Pode ser solitário ficar sozinha. Mas não existe nada que grite "solidão" mais alto que comida preparada fora. Não quero que o jantar para um me seja trazido por um homem numa bicicleta. Não consigo ficar esperando até ele chegar. Prefiro me ocupar na cozinha e não ficar sentada esperando a campainha da porta ser tocada por um homem com quem tenho uma mera relação comercial e me preocupar com a gorjeta que lhe darei. Não, é infinitamente melhor preparar a própria comida. Tenho uma despensa bem estocada e o senso de tranquilidade que vem de uma vida doméstica bem equipada, mesmo que seja só para mim, por mais triste que isso possa parecer.

Aqueles que não cozinham acham que dá trabalho demais, especialmente se for só para um. Se existe algo de que quero convencer o mundo é que isso não acontece: cozinhar é impossivelmente fácil. A comida simples preparada com ingredientes frescos é a de que gosto mais. Como espaguete com rúcula, que não envolve absolutamente trabalho algum se você comprar rúcula de folhas pequenas que já esteja lavada e pronta para usar. Tento ter sempre um pouco na minha geladeira para poder fazer essa massa maravilhosa de um momento para outro.

Espaguete com rúcula e pinhões

(adaptado da revista *Bon Appétit*)

55 a 85 gramas de espaguete (dependendo da fome que você tenha)

2 colheres de sopa de azeite de oliva, mais um pouco para temperar

2 xícaras cheias de rúcula (preferencialmente rúcula de folhas pequenas, pré-lavadas, para sua segurança; a rúcula comum é muito suja, e isso dá mais trabalho do que você deseja neste momento)

1 colher de sopa de suco de limão fresco
Pimenta moída na hora
Sal
Parmesão ralado na hora, tanto quanto quiser
1 colher de sopa de pinhões tostados

Cozinhe a massa de acordo com as instruções na página 31.

Quando o espaguete estiver quase cozido, aqueça o azeite de oliva numa frigideira média em fogo baixo, junte a rúcula e cozinhe até que fique quase murcha. Quando o espaguete estiver pronto, escorra-o e junte-o à rúcula. Ponha um pouco de azeite, o suco de limão e um pouco de pimenta; prove para ver se está bom de sal, depois tire do fogo, acrescente queijo e pinhões, e sirva.

Rendimento: uma pessoa.

Se quiser dobrar esta receita e fazê-la para um namorado, o problema é seu.

Vou concordar em que algo em meu DNA faz com que cozinhar seja mais fácil para mim do que para outras pessoas. Essas pessoas, por sua vez, são provavelmente aquinhoadas com um gene que faz com que os homens queiram casar-se com elas, ou, ao menos, convidá-las para um segundo encontro. Nos últimos anos, até isso provou ser façanha semelhante a fazer suflê que nunca murcha. Eu trocaria uma coisa pela outra? Provavelmente.

Enquanto luto com os relacionamentos, a cozinha tem sido uma fonte de satisfação constante. Simplesmente não tenho tato para me comportar com homens. Isso não vem tão naturalmente para mim quanto criar a base perfeita para qualquer molho.

"E então ela nunca mais ouviu falar nele" é como eu encerrava brincando o relato de um encontro promissor, de uma conversa telefônica ou de uma troca de e-mails.

Era minha defesa, para que, quando acontecesse, estivesse protegida pelo fato de já saber. Eu realmente não achava que nunca mais ouviria falar na pessoa. Mas não ouvia — encontro após encontro, brincadeira inteligente e resposta engraçada. Ficava espantada pelo fato de não conseguir despertar sequer a mais leve curiosidade no advogado criminalista, investidor, escritor de revista de negócios, editor de livros, ou fabricante de picles com quem saí. (O fabricante de picles, na verdade, decidiu que estava cheio de mim enquanto o encontro ainda acontecia. Ele me convidou a ir ao apartamento dele para me fazer uma salada. Sentamo-nos no sofá e ele caiu no sono imediatamente. Nenhuma energia, e pior, nenhuma salada.)

Renunciei aos meus votos de celibato por nada. Joel me disse uma vez que se pode conseguir novamente a virgindade canônica após três anos. Eu não queria isso; antes de mais nada havia levado bastante tempo para perder a virgindade normal.

Então, ao estilo clássico de Nova York, encontrei exatamente a coisa que afastou minha cabeça de tudo isso: imóveis. Havia esperado um homem aparecer de repente e me levar para o nosso novo lar e nossa nova vida, mas ele nunca veio e havia coisas que eu queria fazer, como cozinhar numa cozinha de verdade e receber como adulta. Não podia esperar mais. Precisava seguir sozinha e, para isso, precisava de um apartamento melhor. O que descobri? Imóveis podem decepcionar tanto uma garota quanto um encontro. Foi bom saber que havia outras coisas no mundo que tinham tanto poder sobre mim quanto os homens.

Seriam aquelas revistas para noivas espalhadas pelo lugar, sussurrando "*Se você comprar este apartamento, isto acontecerá com você também?*", que me deixaram tão apaixonada pelo primeiro apartamento que vi? Era um condomínio numa faixa emergente de Brooklyn, junto ao rio. Um bom investimento do proprietário. Mas era mais que isso. Era principalmente a cozinha com os equipamentos *de rigueur* em aço inoxidável novos em folha: o fogão Viking, o refrigerador Sub-Zero, o lava-pratos Bosch. Essas coisas eram ainda mais direito de nascença meu do que os vestidos brancos naquelas revistas.

Perdi três noites de sono tentando imaginar uma fórmula para determinar quanto ofereceria. Pulava da cama de hora em hora e corria para o computador, digitando números: área quadrada vezes o número de queimadores do fogão dividido pela *prime rate* menos o total da minha conta de poupança dividido pelo número de prateleiras do refrigerador. Eu não tinha ideia de como calcular, então saí com um número maior que o que eles pediam e mandei por fax do trabalho. Depois, assei uma galinha e pensei em como essa seria uma experiência melhor em minha cozinha.

Galinha assada imobiliária

1 (1,5 a 2 quilos) galinha
2 colheres de sopa de manteiga
Sal
Pimenta moída na hora
1 limão
3 dentes de alho, sem casca e picados

Preaqueça o forno a 190 graus.

Esfregue a galinha com manteiga, tempere generosamente com sal e pimenta, esprema o suco do limão em cima dela e recheie a cavidade com rodelas de limão e alho. Coloque a galinha numa forma com o lado do peito virado para baixo; asse por 30 minutos, depois vire o peito para cima, regue com os caldos da forma e asse por mais 20 a 30 minutos, até que o peito esteja dourado e os sumos que escorram de uma coxa espetada estejam claros.

Rendimento: 2 pessoas.

Receber o telefonema do corretor dizendo que minha proposta não fora aceita foi como ser dispensada pelo namorado. Eu havia reconstruído minha vida em torno desse apartamento, e, então, um erro de cálculo, um telefonema e ele se fora.

Depois desse primeiro gostinho, fiquei viciada na caça. Todo sábado eu esquadrinhava as páginas imobiliárias do *The New York Times* e a internet para fazer o meu roteiro de visitas de domingo à tarde. Durante oito meses não vi uma só coisa que se comparasse àquele primeiro apartamento. Depois de oito meses, decidi que nunca encontraria um apartamento, então comecei a arrumar o que tinha. Entrei na minha poupança, comprando mobília e equipamentos de cozinha, e parava, desanimada, para visitas ocasionais.

Naturalmente, aquele ditado "quando desistir, vai encontrar um" funcionaria comigo em algum lugar. Infelizmente, aconteceu apenas com os imóveis.

Num sábado de fevereiro, localizei um apartamento que parecia muito bom na internet, mas, grande coisa, isso já acontecera um milhão de vezes. Mesmo assim, decidi fazer a visita programada para o dia seguinte.

Esse dia coincidiu com uma forte nevasca. Telefonei para o meu irmão Nick, que também era meu assistente imobiliário.

— É impossível haver visitação hoje.

— Mas é exatamente quando você deve ir, pois estará em vantagem.

Liguei para o corretor. Eles ainda fariam a visitação em Lincoln Place?

Sim, fariam.

Continuou a nevar muito. Liguei para o corretor novamente.

Sim, a visitação ainda estava de pé.

Caminhei penosamente os dois quilômetros do meu apartamento até lá em 33 centímetros de neve. Nick e a mulher, Yuki, me encontraram lá. A corretora estava tirando as botas quando chegamos. Pusemos as nossas ao lado das dela e entramos. Senti imediatamente que aquele parecia ser o lugar certo; não era perfeito, mas tinha tudo que eu queria. Eu ouvira dizer que era assim que a gente se sente em relação ao homem com quem se casa, mas, na falta deste, fiquei com o apartamento. Dentro, encontrei um vestíbulo central grande e bonito, que ligava todos os aposentos. O banheiro art déco era azulejado de preto e branco com um papel de parede *toile de Jouy*, a grande sala de estar tinha portas francesas e muito espaço para jantar e descansar, o quarto tinha janelas que davam para um bonito pátio. A *pièce de résistance* era a cozinha, que, embora não fosse enorme, era muito bonita. Após um ano olhando equipamentos de aço inoxidável de que gostara tanto a princípio, eles começaram a parecer sem graça quando notei que estavam em todos os condomínios novos ou recentemente reformados de Nova York. Essa cozinha tinha as coisas mais modernas e melhores, mas aqui elas eram interpretadas num estilo tradicional. Havia armários brancos de madeira com detalhes entalhados contra um fundo de azulejos brancos com estampas florais. O revestimento de madeira continuava nas portas do refrigerador e da lavadora de pratos. Havia gavetas grandes e prateleiras que deslizavam para guardar comodamente as panelas, um micro-ondas escondido atrás de uma porta de correr, uma prateleira para livros de cozinha sobre a pia. A mulher que vivia ali (que estava vendendo porque se casaria com um alemão que conhecera na Match.com) havia restaurado meticulosamente cada polegada do apartamento e supervisara a renovação da cozinha, pensando em cada detalhe. E esta mulher solteira aqui seria a única a desfrutar aquilo. Disse à corretora que faria uma oferta. Eu tinha bastante certeza de que ninguém além de mim apareceria hoje e de que ele seria meu.

— Mais pessoas poderão vir — ela disse. — Recebi duas ligações perguntando sobre a visitação.

— As duas ligações foram minhas — falei, rindo.

Consegui o apartamento. A galinha assada que fiz em meu forno novo ficou divina.

Lachlan Martyn era apaixonado... por comida

Eu usava qualquer desculpa para ficar em casa nos primeiros meses após a mudança. Entrega de mobília, o cara da TV a cabo, o cara que consertava a máquina de lavar pratos — todas eram razões para tirar o dia de folga. Estava apaixonada por meu apartamento, o que só exacerbava meu conflito sobre ter um homem por perto. Agora não era mais apenas a minha sanidade que eu protegia, tinha uma casa para proteger — um paraíso feminino completo com um lustre de cristal no vestíbulo (relíquia da casa em que cresci) e uma penteadeira espelhada no quarto (aquisição nova) — que não precisava ser estragada com coisas de rapazes, como guitarras e aparelhos eletrônicos. Eu me distraí de quaisquer pressentimentos de solidão que poderia sentir dedicando-me a enfeitar o lugar com arte e mobília eclética. Quando existe algo para comprar, não há nada ruim para sentir, e, graças à internet, eu comprava a qualquer momento. Todo dia chegavam pacotes pelo correio ou em caminhões. Catei pinturas e fotos nos mercados de pulgas ou de amigos e não economizei para emoldurá-las — isso também se relacionava com a atração que sentia pelo cara que fazia as molduras, que se parecia muito com a relação que eu desejava na época.

Foi a antecipação da dor que me fez ficar em casa no dia em que conheci Lachlan. Uma agulha cheia de Novocaína, perfuração extensiva e uma hora na cadeira me aguardavam. Mas quando tudo terminou, me senti bem, porque fazia um dia de agosto sem nuvens e não muito quente, e optei por uma longa caminhada do dentista em minha antiga vizinhança até minha nova vizinhança, parando no caminho num Sahadi, importador de comida do Brooklyn, para pegar alguns artigos.

Minha bolsa de compras e eu atravessávamos a Smith Street quando um homem pequeno se aproximou de mim, vestindo calças marrons amassadas e uma camiseta azul com uma assinatura de Picasso na frente. A camiseta é um pouco clichê; você já a viu antes. Dito isso, Lachlan era bonito; eu parecia sabe-deus-o-quê, pois não me embonecara para o dr. Di Leonibus. Usava uma saia de sarja amarela com apliques púrpura, sandálias Jack Rogers e uma camiseta branca; estudante engraçada, você diria, se estivesse a fim de ser gentil. Meu cabelo parecia sujo, e eu tentava me esconder por inteira atrás de óculos escuros. Lachlan usava óculos escuros com lentes pequenas e ovaladas com armação azul. O cabelo era curto com costeletas compridas; o grisalho, prematuro. Rapidamente calculei sua idade entre 38 e 48 anos. Ele passeava com um cachorro.

— Poderia me dizer onde eu encontraria *Time Out* — perguntou com um sotaque que pareceu escocês, referindo-se ao semanário de arte e cultura da cidade, subproduto de uma revista de Londres.

Como gostei da aparência dele, e não sou imune ao sotaque, fui excepcionalmente cortês e falante. Tinha um bocado de informação para dividir. Achar o *Time Out* naquela esquina específica do Brooklyn era um negócio complicado. Lachlan teve sorte ao me escolher para perguntar. Em retrospectiva, foi provavelmente a melhor e única cantada que ele dera.

— Você tem duas opções — eu disse. — Ambas equidistantes daqui. Há a Barnes and Noble lá — apontei na direção noroeste — ou o Book Court lá — apontei na direção sudoeste. Então, concluí: — Book Court é provavelmente a melhor escolha para você que está com um cachorro, porque eles põem as revistas logo na porta; você pode pegar uma e pagar com uma das mãos e segurar a coleira e o cachorro do lado de fora com a outra. De onde você é?

— Escócia.

— É mesmo? Todas as minhas bandas favoritas são da Escócia.

Falei isso sem pensar, somente para manter a conversa, mas coincidiu de ser verdade.

— Gosto das bandas americanas — ele disse. — Semana passada fui ver a Kansas.

Era uma admissão corajosa. Para mim, dizer que gostava da Kansas não era algo tão distante. Meu irmão Nick era obcecado por eles quando adolescente e acho que se poderia dizer que eles meio que "colaram" em mim. Sei todas as canções de *Point of Know Return* e *Carry On Wayward Son*, assim como algumas músicas menos conhecidas e lados B. Um homem que ia ver a

Kansas na B.B.King House of Blues sozinho era alguém que eu queria conhecer. A ação falava de uma sincera falta de interesse em parecer legal, e, mesmo assim, Lachlan parecia muito legal. Ao menos para mim. Com quanta frequência duas pessoas apreciadoras do rock artístico progressivo do Kansas se encontravam numa esquina?

— Na quinta-feira vou ver Steely Dan em Jones Beach.

Agora eu não queria apenas conhecê-lo, queria ir àquele concerto com ele. Tinha que esticar a conversa.

— O que você faz? — perguntei.

— Sou escritor — ele disse. — Tive um romance publicado dez anos atrás que vendeu 82 cópias nos Estados Unidos. Estou trabalhando em meu segundo e terceiro romances.

— Trabalho numa editora — eu disse. — Devíamos publicar seu livro aqui.

Aquele argumento foi decisivo, como previ.

— Você quer me encontrar para um café mais tarde ou jantar nesta semana — ele perguntou.

— Claro.

— Podemos nos encontrar nesta semana?

Era a terceira semana de agosto, e todos os meus amigos estavam longe. Eu não poderia estar mais disponível social ou romanticamente.

— Minha agenda é flexível — eu disse, modestamente, e lhe entreguei meu cartão.

Lachlan leu meu nome.

— Você é italiana? *Parli italiano?* — disse, e começou a falar num italiano tão fluente que tive de me esforçar para acompanhar. Quando falava, ele assumia o jeito e as maneiras de um italiano. Houve algumas descobertas felizes em cada momento do nosso encontro, e elas revelaram a existência de coisas comuns. Não apenas Lachlan era um adorável britânico; ele podia transformar-se num italiano bastante sedutor. Encontrar-me com ele numa esquina, quando voltava do dentista nos últimos dias solitários de agosto, foi quase um milagre.

Em nossa breve conversa, soube que Lachlan era de Edimburgo, mas vivera muitos anos na Itália, onde ensinava inglês a italianos. Estava passando o verão nos Estados Unidos, sublocando um apartamento em Williamsburg com Steve, um amigo americano que conhecera em Londres. Lachlan estava cuidando dos cachorros da irmã de Steve em sua grande casa em Boerum Hill. O nome do cachorro era Goose, mas me confundi e o chamei de Gus nos quatro meses seguintes, embora seja difícil provar que este foi o meu maior erro naqueles meses.

Chequei meu e-mail no segundo em que entrei em casa. Ainda não havia sinal de Lachlan, mas eu sabia que, em breve, teria notícias dele. Fiz almoço com os suprimentos que comprara e alguns tomates maduros de verão e manjericão do mercado do fazendeiro que acontece todos os sábados a apenas alguns passos do meu apartamento. Em agosto há uma profusão de bonitas pimentas vermelhas, amarelas e cor-de-laranja, grandes berinjelas brilhantes, cheirosos buquês de manjericão, maravilhosos tomates maduros — é o parque de diversões de um cozinheiro, e eu não tenho para quem cozinhar.

Quando acabei de comer, chegou um e-mail de Lachlan. Ele mandou seu telefone e me pediu para ligar. Quando nos falamos, queria encontrar-se comigo imediatamente. Ele ia a uma leitura às 16h, não poderíamos nos encontrar às 15h? Eu não queria me apressar, então sugeri que nos encontrássemos para um drinque depois da leitura.

Lachlan concordou com aquilo enquanto expressava preocupação em perder a refeição da noite.

— Será hora do jantar — ele disse. — Tenho um pouco de massa Barilla; você poderia vir e cozinhar para nós.

Eu gostava do jeito que a mente dele funcionava, mas não tinha certeza se iria à casa de um estranho para comer uma massa de marca inferior. Eu teria considerado a questão se a massa fosse De Cecco, mas a Barilla, que custa 99 centavos meio quilo no meu supermercado, cheirava mal.

A atitude de Lachlan foi descontraída quando telefonou naquela noite. A leitura fora decepcionante, as perguntas da audiência sem inspiração. Depois de mais ou menos 10 minutos discutindo nossas opções, planejamos nos encontrar na esquina onde nos víramos antes; de lá acharíamos um lugar para beber uma cerveja. Tomei o ônibus de Park Slope para o nosso encontro e, no caminho, me perguntei por que nenhum escocês havia esperado por mim nas esquinas das ruas de Boerum Hill durante a década e meia que vivi ali.

Lachlan chegou ao mesmo tempo que eu; pareceu deliciado ao me ver, sorrindo como se a minha beleza fosse uma surpresa feliz para ele. Ao menos, foi o que decidi. Enquanto caminhávamos lado a lado, ficou se virando para olhar para o meu rosto. Eu estava muito mais limpa do que no início do dia e parecia melhor num vestido de verão de alças com um padrão africano que comprara muitos anos antes para um encontro com um cara que me deu o fora na mesma noite em que estreei o vestido. Estranho, pois o vestido coleciona elogios, o que me leva a concluir que o cara era um bobo; o vestido é curto, com as costas cavadas, e a frente, alta. O vestido anuncia sensualidade, mas só num sussurro.

Eu me coloquei ao lado de Lachlan na banqueta, em vez de ficar de frente para ele quando nos sentamos no Robin des Bois, bistrô francês com decoração econômica. Não tenho ideia de por que fiz isso. Suponho que o fato de ele estar na cidade por apenas duas semanas me deu a sensação de não ter nada a perder. Falávamos sobre livros — Lachlan estava lendo *O ponto da virada*; achei essa escolha banal, mas deixei isso de lado, sendo ele estrangeiro. Orgulhosamente anunciei que estava lendo *Partículas elementares*. Achava que esse romance, de Houellebecq, o menino malvado da literatura francesa contemporânea, me daria um ar mundano e sexualmente ousado, mas Lachlan descartou Houellebecq com um gesto da mão dizendo: "Seus romances descrevem um mundo frio."

Quando tomávamos mais de meio litro de Stella Artois, Lachlan me contou que estudara filosofia na Universidade de Aberdeen, depois abandonou um programa de Ph.D. na London School of Economics. Uma pequena editora escocesa lançara seu primeiro e único romance publicado desde então. Durante a maior parte dos últimos vinte e tantos anos ele vivera na Itália, embora eu tenha concluído por nossa conversa que também passara um ano em Praga e um período não especificado de tempo em Paris. Um ano antes de vir para os Estados Unidos vivia em Edimburgo. Nunca vivera na Espanha e estava pensando nisso.

Lachlan falou em italiano durante parte da nossa conversa; acontece que o meu italiano melhora à medida que bebo.

Lá pela segunda cerveja eu estava quase fluente, e Lachlan segurava minha mão. Na terceira, eu não tinha que falar, nós nos beijávamos.

Nossas mãos ficaram juntas na curta caminhada até o lugar onde ele estava hospedado. Íamos lá para fumar: eu, um cigarro; Lachlan, maconha. Goose morava numa casa muito bonita de pedra castanho-avermelhada. Entramos num gigantesco salão que englobava a sala de estar e a cozinha. No balcão que dividia os dois espaços, havia uma cesta cheia de frutas e verduras, mas não havia tempo para compartilhar os produtos. Lachlan me levou direto pela escada abaixo até o quarto de dormir, onde tinha seu aparato para fumar — um cachimbo prático, sem enfeites, feito de um contêiner de plástico destacável, coberto com uma lâmina de metal com pequeninos orifícios de alfinete de um lado. Ele colocou uma pitada de erva sobre os buraquinhos, acendeu e inalou de um orifício maior do outro lado. Sem ser exatamente suave, Lachlan era mais bonito que vistoso e parecia um elfo. Nada que fizesse poderia me afastar dele. Quando fez um gesto para passar fumaça de sua boca para a minha, isso foi tão sedutor que não pude resistir.

Lachlan acendeu as velas votivas que estavam sobre a penteadeira e a escrivaninha. Pôs um CD gravado em casa no toca-CD sobre a penteadeira. Música eletrônica começou a vir à tona — as batidas estrondosas e o canto ocasional. Lachlan anunciou seu plano de jogo erótico com um floreio e, embora o fundo musical não fosse o que eu teria escolhido, todas as outras decisões que ele tomou foram completamente certas. A música e o sexo brincaram numa espiral contínua até pararmos para comer.

Lachlan era um cozinheiro. Mas, nesse momento, revelou sua originalidade apenas na cama e com os cereais do café da manhã americano. Encheu para si mesmo uma tigela de cereal com passas, acrescentou colheres de passas, amêndoas, algumas nozes e um borrifo ou dois de mel, depois jogou leite sobre a mistura. Eu comi meu cereal simplesmente com leite. Comemos de pé no balcão da cozinha.

— Foi você que se aproximou de mim, ou eu me aproximei de você? — perguntei.

— Acho que foi mútuo — respondeu Lachlan.

Conversamos por mais algum tempo, depois eu quis ir para casa. Sinto-me à vontade fazendo um bocado de coisas com estranhos — dormir não é uma delas. Mas Lachlan insistiu em que eu ficasse, então fiquei. Quando acordamos, de algum modo do outro lado da cama, eu estava menos nervosa do que pensei que ficaria. Na verdade, fiquei surpresa com o quanto eu estava relaxada até Lachlan perguntar se eu já fora casada.

Sempre sou pega desprevenida quando me fazem essa pergunta. Minha primeira reação é que sou jovem demais para ter sido casada, embora na verdade seja velha o bastante para estar casada e ter sete filhos e talvez um ou dois divórcios por baixo do pano. Estou ciente de que meu espanto é meramente uma película transparente que cobre incontáveis sentimentos difíceis de fracasso e confusão a respeito do assunto.

Dei minha resposta de praxe, a que eu espero que oculte minhas emoções agitadas e provavelmente falha:

— Não, ainda não passei por isso.

— Quem foi seu último namorado?

— As coisas não brotam do nada, né? — perguntei.

— Nunca — respondeu Lachlan.

Perguntei a Lachlan quantos anos ele tinha (46). Disse-lhe a minha idade (40). A última namorada de Lachlan fora uma pintora australiana (estou imaginando 28). Aquilo parecia tão bacana e exótico (e jovem). Senti-me insípida (e velha).

— Eu gostaria de ver você novamente — ele disse. Concordei, sugerindo que eu fosse ver Steely Dan com ele. Lachlan só tinha um ingresso e não queria comprar outro. Se eu comprasse apenas um para mim, não nos sentaríamos juntos, então comprei dois e imaginei que encontraríamos alguém para vender o ingresso de Lachlan antes do show. Não que o dinheiro fizesse alguma diferença; este verão, que começara comigo namorando um cara medonho de que não vale a pena falar, estava ficando adorável além de minhas mais loucas fantasias — isso valia qualquer quantidade de ingressos para Steely Dan.

Saímos da cama e Lachlan fez café. Torrou pão integral de trigo Pepperidge Farm e pôs manteiga com sal nele para mim. Não teria sido mais delicioso se fosse uma omelete chiando com caviar Beluga e *crème fraîche*. Ficamos ali por um tempo, papeando e bebendo café — já que meu chefe passaria o resto do mês fora, eu estava ainda com menos pressa que o normal para chegar ao trabalho. Quando se aproximava das 11h, comecei a pensar em aparecer.

Ao meio-dia, quando cheguei aos escritórios em NoHo da *Harper's Magazine*, provas dos telefonemas de Ginia estavam por toda parte — no meu celular, na secretária eletrônica do trabalho, na secretária eletrônica em minha casa. Esperei algum tempo para ligar de volta para ela, tirando alguns instantes para saborear a noite anterior sozinha.

— No caminho de volta para casa depois do dentista conheci o mais adorável escocês que você já viu. Eu e ele vamos tomar café! — Eu escrevera para ela no minuto em que entrara em casa depois do que acontecera. Ela só podia estar curiosa sobre nosso encontro. Na verdade, como minha melhor amiga, era obrigada a estar. Eu ficaria desapontada se não estivesse. Então, liguei para ela e contei tudo que podia, fazendo alusões ao sexo, exultando sobre Steely Dan.

Eu achava que veria Lachlan antes do concerto, ainda a dois dias de acontecer. Quando terminei o exercício de casa daquela noite, havia uma mensagem dele em meu celular.

— Você arrumou a cama? — perguntei quando liguei de volta. Os lençóis estavam desarrumados quando eu saíra de manhã. Considerando impróprio deixar uma casa emprestada naquele caos, ofereci-me para arrumar — esta era a minha neurose, afinal —, mas Lachlan insistiu em que ele mesmo resolveria o problema.

— Não — respondeu —, quero desarrumar os lençóis novamente.

Em menos de uma hora eu estava no ônibus novamente.

É SEMPRE UM pouco chocante ver pela segunda vez alguém com quem você teve um encontro (e depois mais alguns). Eles nunca são exatamente como você se lembra deles. Lachlan pareceu excitado, movimentando-se rápida e desajeitadamente quando me recebeu à porta. Como este é normalmente o meu papel em relacionamentos, me vi na posição não familiar de ser a pessoa serena do par. Ele me pegou pela mão e me levou direto ao quarto, embora fossem apenas 21h30. Ali recriou o cenário da noite anterior. As velas foram acesas, e a Groove Armada gritava do pequeno toca-CD na cômoda. "Se você gosta de dunas de areia e ar salgado...", dizia "No rio", a única canção conhecida que ouvi naquelas noites.

Quase igual ao número de vezes em que preparei refeições elaboradas para homens é o número de vezes em que me imploraram para ler críticas de livros tiradas de arquivos e envelopes convenientemente situados (na gaveta perto da cama, no pacote de correspondência que, por coincidência, veio junto para o restaurante). Sim, Lachlan trouxera as deles de Edimburgo e elas apareceram na manhã seguinte. Eu devia lê-las na cama, antes do café. Já acho difícil me concentrar em críticas de livros em circunstâncias ideais, quando estou deitada no meu próprio sofá, no santuário do meu próprio apartamento, num domingo à tarde. Após relações sexuais iniciais é quase impossível. Tentei seguir um par de linhas, forcei uma ou duas risadinhas, depois me esforcei para fazer algum comentário inteligente, como "Ah, engraçado que ele esteja enterrado numa turfeira", como se tivesse alguma ideia do que era uma turfeira.

— Você pode? Você realmente vai poder me ajudar com meu livro? — perguntou Lachlan.

Vasculhei meu cérebro pensando em agentes literários que pudessem atender meu telefonema. Havia um velho amigo de Ethan que tocava bateria em nossa banda; podia tentar com ele. E um cara bochechudo que nunca mais me telefonou depois que o levei para ver a Magnetic Fields; aquilo *tinha* que contar como um favor.

— Há pessoas a quem poderia pedir — disse a Lachlan.

Eu não sabia se poderia ajudar, mas achei que teria de tentar porque já estava loucamente apaixonada por ele.

Ele segurou minhas mãos.

— Não quero que nada disso interfira em nossa amizade.

— Agradeço o que está dizendo — eu disse, sabendo muito bem que estava, de fato, interferindo.

Enquanto Lachlan preparava meu café da manhã e me fazia um relato detalhado do romance que estava escrevendo, uma voz em minha cabeça que se parecia muito com a minha disse: "Este homem nunca vai amar você." Eu disse à voz para calar a boca e fui em frente com ele a toda velocidade ao Jones Beach Theater para ver Steely Dan.

Lachlan planejara ir de trem até lá, mas eu pus fim àquilo. Pediríamos o carro de minha mãe emprestado e partiríamos à tarde para passar uma ou duas horas na praia antes do show. Eu tiraria folga no trabalho para pegar o carro de manhã e enfiar na agenda uma sessão de ginástica de manhã também. Esqueci de levar meu celular comigo e, quando voltei para casa, encontrei seis mensagens de Lachlan numa variedade de formas: texto, voz, ele tentou até me enviar uma mensagem por *page*.

— Você comeu? — me perguntou quando me encontrei com ele. — Tenho almoço para você, se não almoçou.

Nenhum homem jamais "teve almoço para mim". Ele parecia minha mãe, e isso não era ruim, mas eu queria pôr o pé na estrada. Recusei a oferta, e Lachlan subiu a aposta com um pedido significativamente menos maternal:

— Venha tomar uma chuveirada comigo.

Lachlan conseguiu o que queria — no entanto, com meu carro estacionado diante de um parquímetro com dinheiro suficiente para apenas trinta minutos, tínhamos de agir rápido. Conseguimos fazer tanto amor quanto massa no limite de tempo. Lachlan preparou molho de tomate e berinjela para um piquenique na praia. Saímos da cama e nos apressamos a preparar o *rigatoni* e sair de casa antes que o dinheiro no parquímetro acabasse, mas Lachlan cedeu visivelmente ante a pressão. Deixou cair um prato que se espatifou por todo o chão da cozinha e, enquanto varria os pedaços de vidro, lembrou-se de que não havia alimentado o cachorro e de que a massa precisava ser acondicionada.

— Pode fazer isso? Pode fazer isso para mim? — ele disse, estendendo-me um pote de plástico e uma concha. Lachlan ainda não sabia que eu poderia bancar a mãe dele em qualquer dia da semana.

Chegamos ao carro com um minuto de sobra, então o gastamos numa delicatéssen comprando M&Ms, Twizzlers e Coca-Cola para a viagem. Meu escocês tinha queda por doces. Ele também queria sorvete Häagen-Dazs, mas eles não tinham o de pudim de puxa-puxa de caramelo, sabor preferido dele, então não compramos nenhum.

Finalmente partimos, deixando rapidamente para trás o grande Brooklyn Museum e os edifícios de apartamentos gloriosamente desbotados de Eastern Parkway, tocando a todo volume o álbum *Back in Black* do AC/DC, com Lachlan gritando algumas canções da janela do carro: "Querida, o que faz para ganhar dinheiro?"

Sei que música tocar para os meus amigos e sei como alimentá-los; a terceira coisa da qual me orgulho é um infalível senso de direção. Raramente me perco. Posso descobrir o caminho para quase todos os lugares e, quando erro a estrada, rapidamente volto para a certa. Não foi assim nessa viagem. Terminei na Rodovia Norte quando deveria estar na Rodovia Sul e não encontrava as pequenas estradas de ligação com que contava para me levar de uma à outra. Não me comporto como o meu sexo naquela diferença frequentemente citada entre homens e mulheres — *odeio* perguntar endereços e me recuso a fazer isso. Mas quando notei o sol fazendo o seu percurso para oeste à frente de nós, desisti e telefonei para Ginia, que cresceu perto de Jones Beach e nos pôs no caminho certo. Para fazer isso, tive que fazer algumas curvas fechadas e surpreendi Lachlan. Tentei convencê-lo de que estava seguro comigo.

— Sou uma grande motorista, é verdade! Não acredito que esteja perdida. Não sei o que está acontecendo. — Exuberante por causa do açúcar, Lachlan caçoava de mim sem parar em italiano.

Traduzido do original em italiano:

— Quando a vi naquela esquina, você pareceu uma mulher boa, responsável. Carregava um saco de compras, então concluí que era casada, possivelmente com dois filhos. Você me deu um cartão que dizia "vice-presidente", então achei que você era uma ajuizada mulher de carreira. Mas o que você é? Você dorme até as 11h, vai trabalhar ao meio-dia, não sabe dirigir, e não sabe aonde estamos indo!

Ele estava certo sobre a última parte. Eu não tinha ideia de para onde estávamos indo.

Só soube que minutos mais tarde estava sentada ao lado do oceano com o delicioso Lachlan. Eu tinha trazido uma garrafa de Chianti que guardava para uma ocasião especial — cuidadosamente embrulhada em gelo para conservar temperatura de adega — mas tive que beber sozinha. Revelou-se que Lachlan tinha alguns problemas de saúde que limitavam seu consumo de álcool — um problema com o "canal da bílis" alguns anos antes que o levou a uma prolongada hospitalização em Roma, uma consulta com um dos médicos do papa e a descoberta de uma arritmia que agora regularizava com uma pílula diária. Enquanto eu bebia, Lachlan acendeu sua erva, prazer que aparentemente não afetava o funcionamento de seu "canal da bílis".

Como você pode imaginar, sou um pouco esnobe quando se trata de massa e, portanto, não tinha muita fé no que Lachlan poderia produzir rapidamente em sua cozinha emprestada. Meu preconceito estava mal orientado; seu *rigatoni* com berinjela ficou delicioso, tanto que, desde então, fiz o prato muitas vezes e não posso dizer que faço melhor que ele.

Rigatoni com berinjela de Lachlan

Delicioso quente ou frio

3 colheres de sopa de azeite de oliva, mais um pouco se necessário
½ cebola amarela média, picada
Pitada de pimenta calabresa
1 berinjela grande, cortada em cubos de 2cm
2 colheres de chá de sal
1 lata grande (800 gramas) de tomates moídos
¼ de xícara de vinho tinto
1 colher de sopa de açúcar (berinjela é ácida)
450 gramas de *rigatoni*
1 xícara de folhas de manjericão picadas com as mãos
Parmesão ralado na hora

Aqueça o azeite numa frigideira grande em fogo médio; junte a cebola e a pimenta e refogue até a cebola ficar quase translúcida. Junte a berinjela e uma colher de sal e cozinhe durante 20 minutos, deixando que a verdura fique um pouco marrom. Junte depois os tomates, o vinho, o açúcar e o sal remanescente e cozinhe por 50 a 60 minutos, até a berinjela ficar bem macia.

Cozinhe o *rigatoni* de acordo com as instruções para massa na página 31. Quando a massa estiver escorrida, coloque-a na frigideira onde está a berinjela, se couber; se não, ponha-a de volta na panela e junte algumas conchas de molho, um esguicho de azeite de oliva e as folhas de manjericão.

Ponha a massa em tigelas guarnecidas com um bocado de molho extra e algumas folhas de manjericão. Sirva com o parmesão ralado.

Dá para quatro pessoas, se for o prato principal, ou seis pessoas, se for o primeiro prato.

Lachlan queria me *conhecer*. Enquanto estávamos reclinados na praia, me interrogou sobre minha infância e relações passadas, coisas sobre as quais eu não estava pronta para falar com um homem de quem gostava tanto, mas conhecia tão pouco.

— Poderia, ao menos, me informar sobre o que aconteceu até os 16 anos? — implorou.

Uma vez que suas atenções eram meio desviadas pela fumaça de um navio que ele pensou que via ao longe, perto da linha do horizonte, contei a viagem que minha família fez para a Itália a bordo de um navio chamado *Raffaello* bem antes do meu 12º aniversário. Os pais de Lachlan haviam navegado para os Estados Unidos no *Queen Elizabeth* e voltariam no próximo ano no *Queen Mary*. Ele falou sobre as viagens dos pais ao exterior e sobre uma viagem menos exótica que haviam feito recentemente a Liverpool para o casamento do irmão dele. Esse acontecimento aliviou um pouco a pressão dos pais de Lachlan para ele próprio se casar, especialmente agora que o irmão produzira um herdeiro. O navio que Lachlan estava seguindo não era mais que uma sombra. O foco nessa decepção trivial foi o bastante para nos pôr a caminho do show.

Atravessamos um estacionamento do tamanho da Escócia até o teatro. Lachlan, agora chapado, ficou espantado com o seu tamanho e com os pés de um homem de meia-idade com tênis cor-de-rosa a quem chamou de manjar branco. Sentíamo-nos positivamente jovens enquanto o seguíamos com uma multidão de barrigudos de cinquenta e tantos anos que caminhava para o show. Seus comentários me faziam chorar de tanto rir, até mesmo os que eram sobre mim por pensar que poderíamos vender o ingresso extra a uma dessas pessoas.

— Giulia, não acho que os "fãs de Dan" apareceriam num show procurando ingresso para comprar. Os "fãs de Dan" são um pouco mais organizados — caçoou.

O Jonas Beach Theater é tanto uma praça de alimentação gigantesca quanto uma arena teatral. Lachlan estava novamente com desejo de sorvete Häagen-Dazs, mas havia apenas Carvel. Consegui um sundae de baunilha com calda de chocolate, de que Lachlan, fazendo comentários sobre sua qualidade inferior, comeu a maior parte. Enquanto isso, Michael McDonald, do Doobie Brothers, fazia seu ato de abertura, batendo nas teclas e cantando "What a Fool Believes". Podíamos vê-lo na tela gigante enquanto esperávamos na fila do café no estande da Starbucks. Lachlan decidiu que McDonald parecia Kenny Rogers, então pelo resto da noite nos referimos a ele como Ken, gritando seu novo nome quando ele voltou ao palco com "o Dan" para cantar trechos de fundo de "Peg".

Lachlan ficou espantado quando consegui encontrar o carro, agora sozinho num grande gráfico de linhas brancas quando chegamos a ele. Também não nos perdemos a caminho de casa; todos os sinais apontavam para Nova York, e nós os seguimos.

— Ainda fico espantado quando vejo placas para Nova York, não posso acreditar que estou aqui — disse Lachlan apertando minha mão. Eu também não podia acreditar.

Na semana seguinte, Lachlan veio ficar comigo pelo resto de sua viagem, e tirei o resto do verão de folga do trabalho. Telefonei para minha mãe para lhe dizer que não me veria durante algum tempo; eu me apaixonara por um escocês que amava a Itália e falava italiano fluente, e eu podia ficar com o carro? Até então, as únicas férias que tinha em mente eram alguns dias fora, durante os quais não poderia ir além de Prospect Park. Eu não podia pagar uma viagem, depois de gastar um monte de dinheiro com o meu apartamento e com coisas para mobiliá-lo. Lachlan caiu no meu colo, um *scoti ex machina* que tornaria meu mundo tão exótico quanto a cidade escocesa Dundee (para mim; nunca a conheci) e tão aconchegante quanto um chalé alugado nas ilhas Hébridas Exteriores à guisa de Capri.

Ele e sua mochila apareceram em meu apartamento numa segunda-feira de manhã quente e pegajosa após uma árdua viagem que partiu de Williamsburg, onde minha alma gêmea fez um almoço de espaguete à bolonhesa para seu colega de quarto

Steve, depois disse adeus a ele e ao apartamento sublocado. Trabalhei naquele dia, meu último dia até depois do Dia do Trabalho, e corri para casa para encontrar Lachlan, que ficou na parada errada do metrô, acabou na extremidade oposta de Prospect Park e chegou à minha casa suado e exausto da longa caminhada. Tentei acalmá-lo com música, tocando um álbum de uma nova banda de rock pesado chamada Wolfmother que Kit recomendara. Lachlan chamou o esforço de "inautêntico" e perguntou se, em lugar disso, eu teria o álbum do Led Zeppelin que era o seu favorito, *Physical Graffiti*. Eu tinha todos os álbuns do Led Zeppelin, exceto *Physical Graffiti*, mas o *Led Zeppelin II*, ou *Houses of the Holy*, não seria suficiente. Ele queria ouvir *Physical Graffiti* e eu queria providenciar isso para ele. Pensei que um clique ou dois no iTunes bastariam para fazer "Custard Pie" soar imediatamente dos meus alto-falantes, mas essa coisa simples não aconteceu; o iTunes não tinha o catálogo do Zeppelin (um problema resolvido depois). Refleti sobre como poderia preencher sua solicitação musical e fornecer um jantar palatável. A tarefa não deixou tempo para uma viagem até a loja, então me decidi pelo *bucatini amatriciana*, um prato cujos ingredientes (cebolas, bacon, tomate enlatado, *bucatini*) sempre tenho à mão. Felizmente, Lachlan não era um homem contrário a comer massa duas vezes num dia.

O problema do *Physical Graffiti* era mais difícil. Cliquei em LimeWire, programa gratuito de compartilhamento de arquivos que Kit colocara no meu computador e que eu nunca havia usado. Acredito em pagar por minha música, mas esta má decisão de negócios no que diz respeito a Plant e Page me deixou sem escolha. LimeWire não abriu, morrera por negligência. Pus água para ferver para a massa, depois comecei a seguir os passos para ressuscitá-lo. Isso levou mais tempo do que me lembrava que costumava levar para Kit e, logo, a água estava fervendo. *Amatriciana* é uma massa simples que pode ser feita enquanto a massa está cozinhando, mas fica um bocado mais complicado se você tentar fazê-la enquanto descarrega um arquivo compartilhado de tecnologia MP3 em seu *laptop*.

Bucatini Amatriciana **com tecnologia de compartilhamento de arquivos MP3**

1 iBook G4
1 colher de sopa de azeite de oliva
2 fatias de bacon
1 cebola pequena
1 cartão Visa
1 lata de tomates picados (460 gramas)
Sal
220 gramas de *bucatini*
¼ de xícara de pecorino ralado na hora

Encha uma panela grande com água e coloque-a sobre fogo alto.

Tente abrir o LimeWire no ícone que você tem no computador de mesa. Falha.

O escocês no apartamento, que é inútil como o computador, mas, como sabemos, é capaz de ajudar com a massa, retira-se para o banheiro para tomar uma chuveirada.

Vá para o site do LimeWire e siga os passos para descarregar o software para o iBook G4. Isso levará mais tempo do que você pensa. A água já está fervendo e você ainda não fez nada para a massa. Deixe a instalação acontecendo, corra para a cozinha e comece a preparar o molho.

Aqueça o azeite numa frigideira em fogo médio; pique o bacon, junte-o ao azeite e deixe-o ficar um pouco crocante. Enquanto isso, pique a cebola e depois misture-a com o bacon.

Volte à mesa para checar como vai a instalação. Descubra que a instalação gratuita do software não está acontecendo; você terá de fazer um upgrade para LimeWire Pro. Procure o cartão Visa e digite seu número na caixinha apropriada; aprenda o que é "código de segurança".

Corra de volta para a cozinha, onde o bacon e a cebola estão um pouco mais dourados do que o necessário. Diga a si mesma que caramelização é uma coisa boa; junte metade dos tomates e seu sumo, deixe-os engrossar um pouco e depois volte para a mesa.

Acrescentar os números do cartão de crédito funcionou! Agora você está pronta para baixar músicas.

O escocês termina a chuveirada, está se secando e gritando seus pedidos. Ele terá o coração apaziguado com "Custard Pie". Procure "Custard Pie" e clique para baixar a música e depois corra para a cozinha.

Junte o resto dos tomates na frigideira. Junte sal à água fervente, depois o *bucatini*; dê uma mexida na panela e depois vá para o computador.

Você encontrará uma nota dizendo que a canção não pode ser baixada porque "precisa de mais fontes". Dê as notícias para o escocês, que agora emerge do banheiro. Veja como ele se sente com "In My Time of Dying", descubra que não é suficiente, tente "Custard Pie" novamente, falhe. Vá para outras músicas do *Physical Graffiti* — encontre "The Rover", "Kashmir", "Ten Years Go", "Bron-Yr-Aur" e baixe todas sem vacilar.

A essa altura você esqueceu a massa na água quente. Corra para a cozinha para provar; estará cozida demais. Você se sentirá envergonhada por fracassar em tudo. Escorra imediatamente. Junte o molho. Remova do fogo, salpique com pecorino.

Dá para dois, sem satisfazer.

Fiquei abalada com o fato de a primeira coisa que cozinhara para Lachlan ter sido um pobre exemplo de minhas habilidades. Massa cozida demais é um erro grave na culinária italiana — *sfatta*, minha mãe a chama no que pode ser seu próprio dialeto siciliano, meu conhecimento de italiano traduz a palavra para algo como "malfeita". Fiquei amuada com a comida, sabendo que poderia fazer muito melhor. Lachlan se culpou por ter entrado no chuveiro exatamente nesse momento crucial. Seria a única vez que ele assumiria a culpa por um macarrão flácido.

— Quer que eu faça café? — perguntei a Lachlan quando acordamos na manhã seguinte.

— Só se você quiser que eu fique eternamente grato — foi sua resposta.

Imagine essa frase dita com suave sotaque escocês e, talvez, você entenda porque o amei tanto.

As refeições melhoraram. Uma vez livre do consumidor de tempo conhecido como escritório, podia devotar meus dias a planejá-las. Fazia compras pela manhã enquanto Lachlan "inseria algumas cerejas" em seu romance antes de me dar para ler. Eu estava no céu, explorando minha nova vizinhança nas horas calmas do dia, checando os mercados de comida, determinando onde podiam ser encontrados os melhores queijos, quem tinha a melhor carne e o melhor pão. Voltava com toda sorte de coisas deliciosas para comermos quando Lachlan estava pronto para fazer um intervalo para o almoço. Eu sabia que ele desfrutaria minhas descobertas tanto quanto eu.

Voltei e o encontrei escrevendo e rindo às gargalhadas consigo mesmo.

— Ooláááááááááá — ele gritou quando entrei pela porta.

Fui para a cozinha para juntar uma variedade de coisas adoráveis para almoçarmos. Não conseguia parar de sorrir enquanto fazia para ele uma salada de atum que era peça importante num almoço durante os dias passados na ilha Shelter.

Salada de atum da casa de veraneio

(Adaptado de Ginia Bellafante)

1 lata de 170 gramas de atum em conserva de azeite de oliva
1 colher de sopa de cebola roxa picada
1 tomate, sem sementes e picado
1 de colher de chá de alcaparras
1 ½ colher de chá de azeite de oliva
¼ de colher de chá de sal
Algumas pimentas moídas
1 colher de sopa de salsinha picada (e/ou manjericão se você tiver)

Abra a lata de atum e drene o excesso de óleo, ponha numa vasilha e acrescente a cebola, o tomate picado, as alcaparras, o azeite de oliva, o sal e a pimenta. Misture tudo e enfeite com a salsinha picada.

Sirva com pão fresco.

Suficiente para dois; facilmente duplicável.

Eu a servi com pão que ainda estava quente quando comprei fatias de *sopressata,* um salame italiano picante — servido em tiras organizadas num prato extravagante, decorado com o desenho infantil de um esquilo —, azeitonas e muçarela. Levei o banquete numa bandeja que comprara dias antes no Museu do Brooklyn — tudo do melhor para servi-lo.

Meu apartamento estava tão ensolarado que poderíamos muito bem estar do lado de fora. Lachlan bebeu água, e eu um copo de vinho tinto, levemente esfriado para o nosso piquenique caseiro.

— *Buon appetito* — disse Lachlan antes de mergulhar na salada.

— *Buon appetito* — eu disse para ele, sorridente.

Sempre dizíamos isso um para o outro antes de todas as refeições, até quando não sorríamos mais.

Enquanto comíamos, Lachlan continuou com suas grandes questões: "Você tem algum arrependimento?"; "Você tem tudo que quer?"; "Onde acha que estará daqui a dez anos?"; "Você já quis se casar?"; "Você pensa em ter filhos?"

Eu não sabia o que dizer para ele. Eu tinha tudo que queria? Tudo, exceto um marido. Onde me vejo daqui a dez anos? Eu me via casada — mesmo lugar onde me via dez anos atrás —, claramente minha visão está borrada. Pensava em ter filhos? Não com frequência, mas examinaria a ideia por Lachlan. Quanto divulgar para ele se tornou uma questão filosófica para mim. Qual o conhecimento sobre o meu passado que Lachlan deveria ter? Não conseguia pensar em nada para dizer que não me implicasse como não merecedora de amor.

Eu não estava ansiosa para trazer decepções passadas para um novo relacionamento que parecia cheio de possibilidades. Estávamos nos dando bem, concordávamos sobre tudo, de música a formas de massa e sabores de sorvete. Tudo, isto é, exceto ar-condicionado — Lachlan o detestava, chamando a máquina de "o refrigerador barulhento". Compôs uma pequena canção de protesto com a música de "Point of No Return" do Kansas. No meio da noite me acordou cantando: "Sua mããããe, ela diz que está congelaaaaaannndo." Ri tanto que quase fiz xixi na cama, mas não desisti. Existe um limite para eu me curvar à sensibilidade europeia.

Embora aproveite os confortos do Novo Mundo, sou antiquada quando se trata de cozinhar. Não deixava Lachlan fazer nada, embora ele fosse mais que capaz. Em vez disso, eu o relegava a tarefas menores, como picar cebola ou alho, o que ele fazia lindamente; não posso alegar ter habilidades tão refinadas com uma faca. Ele não brigava; estava abrandado pela maconha que fumava enquanto me fazia companhia na cozinha — sempre fechando as persianas para os vizinhos não verem. Nós ouvíamos música; eu até deixava ele pôr as dele; aquela coisa eletrônica estava crescendo em mim, especialmente o Zero 7, cuja canção "Destiny" eu considerava a nossa canção, embora não fosse admitir algo tão tolo para Lachlan.

Não que ele se refreasse de habitualmente espantar-se com o modo como nos conhecemos. "Você não pode chamar de destino, mas sorte", dizia, tomando-me em seus braços. Eu apontava para as duas tigelinhas para preparar comida que comprara por 10 centavos cada no Fishs Eddy no meu caminho de volta do dentista, itens que considerava grandes protagonistas do evento. "Se eu não tivesse parado para comprá-las, isso nunca teria acontecido", dizia, desconcertada pela ideia de que o meu futuro havia sido decidido por duas tigelinhas. Ah, aquelas pequeninas tigelas, fico um pouco triste quando olho para elas agora, mas ainda não me desfiz delas; são essenciais na preparação dos meus pratos.

No início daquele verão, durante os cinco minutos em que me deixei cair em insatisfação sobre a profunda inutilidade da minha última tentativa, fui visitar minha amiga Jennifer Romanello em Long Island. Jennifer divide uma cabana de praia com sua numerosa família, todos fabulosos cozinheiros firmemente dedicados a comer e beber bem. De um pequeno prato quente, criavam pratos incrivelmente sofisticados, *risotto* e *porcini*, *linguine* com carne de caranguejo. Um que anotei especialmente foi um cozido de pimentões coloridos e fritos, feito pela irmã de Jennifer, Carmela.

Pimentões fritos de verão de Carmela Romanello

2 colheres de sopa de azeite de oliva
1 dente de alho, picado
1 cebola roxa, sem as extremidades, cortadas ao comprido em pedaços semicirculares
1 pitada de orégano seco
3 pimentões (1 vermelho, 1 laranja, 1 amarelo), sem caroços, sementes e miolos, cortados em tiras

1 ¼ colher de chá de sal
1 tomate grande (ou dois tomates-ameixa), sem as
sementes e cortados em pedaços
¼ de xícara de folhas de manjericão picadas com a mão
Pimenta moída na hora

Aqueça o azeite de oliva numa frigideira grande ou panela em fogo médio e frite o alho e a cebola com o orégano até a cebola dourar, cerca de 3 a 5 minutos. Junte os pimentões e 1 colher de chá de sal e cozinhe com a frigideira parcialmente coberta, mexendo ocasionalmente, por 15 a 20 minutos. Junte os tomates e ¼ de colher de chá de sal; continue a cozinhar por mais 10 a 15 minutos até que os pimentões estejam bem macios. Prove para saber se está bom de sal e sirva com as folhas de manjericão e a pimenta moída na hora.

Sirva com molhos italianos, assadas em churrasqueira se tiver a sorte de possuir espaço externo. Eu não tenho, então asso no fogão.

Rendimento: 6 porções

Levei Lachlan a Bay Ridge, onde lhe mostrei a casa em que cresci e meu açougue favorito, Faicco. Comprei pilhas de comida para nós — filés, salsichas, bacon, queijo. Adoro a visão da maravilhosa carne disposta ordenadamente atrás do vidro do refrigerador. Gosto de fazer ao cara atrás do balcão um grande pedido, como uma *signora* de dias passados. Os pratos que fiz para Lachlan eram simples, mas a forma como ele reagia a eles faria você pensar que eu era a *chef* pessoal de Luciano Pavarotti. Uma revelação em particular para Lachlan foi o *orzo*, massa com formato de arroz que nunca experimentara antes. Ela dá um grande prato de acompanhamento no verão e é deliciosa quente ou fria. Eu fiz essa massa com filés assados no fogão e temperados com um pouco de azeite de oliva, sal e pimenta.

Orzo com tomates-cereja e manjericão

1/2 xícara de *orzo*
1 colher de sopa de azeite de oliva
1 xícara de tomates-cereja (uma mistura dos vermelhos e amarelos, se os últimos estiverem disponíveis), cortados ao meio
¼ de xícara de manjericão fresco cortado em fatias finas
2 colheres de sopa de nozes, tostadas
1 colher de chá de vinagre de vinho tinto
Sal e pimenta a gosto

Cozinhe o *orzo* de acordo com as instruções para massa na página 31. Nota: o *orzo* cozinha mais rápido que as massas comuns, então dê uma checada mais cedo que o normal; 6 minutos parecem um tempo razoável para mim. Escorra a pasta e junte o óleo. Quando esfriar, ponha o tomate, o manjericão, as nozes, o vinagre, o sal e a pimenta a gosto.

Lachlan continuou com as perguntas durante a salsicha e as pimentas e o filé e o *orzo*. Ele as fazia durante caminhadas na chuva até o museu e em dias ensolarados, quando deitávamos no Prospect Park. Continuei minha campanha para esquivar-me delas.

— Por que é necessário dividir tudo isso? — perguntei.

— Bem, se fôssemos nos casar, eu ia querer saber.

Aquelas foram as palavras mágicas. Revelei os momentos de crise de quase todos os capítulos deste livro.

Quando eu perguntava sobre seus conflitos com casamento, obtinha respostas vagas:

— Você pode imaginar que, com a minha idade, eu já estive perto de me casar.

Para Lachlan, quem tinha fugido era Claire. Ele vivera com ela em Londres no final dos anos 1980, e seus supostos altos e baixos duraram até meados dos anos 1990. Como diz Lachlan, Claire era deprimida. Quando tomava seus remédios era maravilhosa; quando não tomava, alternava entre atirar-se a ele ou mandá-lo embora. Eles romperam e voltaram muitas vezes naqueles anos em que dividiram uma cama de solteiro num estúdio que Lachlan esporadicamente deixava por colchões de molas italianos. Eles nunca podiam ver-se "sem terminar na cama", ele me contou.

Essa conversa me deu uma deixa — nossa vida sexual havia diminuído bastante desde que ele se mudara para o meu apartamento. Eu lhe disse que me feria vê-lo falar sobre Claire à luz da nossa parada. "Quantos anos eu tinha então?", respondeu Lachlan à guisa de explicação. Certo, isso acontecera muitos anos antes, mas ele dificilmente estaria na faixa demográfica do Viagra, e nós só estávamos começando.

Foi desanimador saber que o que Lachlan realmente gostava de fazer na cama era dormir. Ele era um campeão da soneca, constantemente cansado. Após uma noite de boas dez/doze horas de descanso, estava pronto para um cochilo logo depois do almoço. Eu mesma gosto terrivelmente de dormir e a vida inteira sempre achei quase impossível me levantar da cama de manhã, mas, quando me levanto, fico de pé o dia todo. Raramente tiro uma soneca e, sempre que faço isso, acho tão difícil acordar novamente que simplesmente não vale a pena. Enquanto Lachlan tirava sua *pennichella* (como ele chamava), eu me reclinava no sofá da sala de estar e lia seu romance, agora pronto para os meus olhos. Seu livro inteligentemente intitulado era sobre um rinoceronte que vira um ser humano e se mistura sem ser notado a um grupo de ingleses num safári na África do Sul. (Está bem, todos os detalhes da descrição foram mudados para não revelar a identidade de Lachlan, mas o que escrevi resume o espírito do trabalho. Era literatura experimental.) Quando acordava, ele queria saber exatamente onde eu estava no manuscrito. Eu mostrava a página, e ele a arrancava de minhas mãos e começava a lê-la em voz alta, rindo histericamente. Eu não ria tão alto nem com tanta frequência quanto ele.

O romance era inteligente e criativo, um tumulto de linguagem completamente privado de qualquer situação ou emoção genuínas. Achei tão talentoso como muitos em que trabalhei em minha carreira, senão melhor que a maioria deles. Merecia ser publicado, mas eu podia ver onde merecia um ou dois ajustes. Não estava exatamente pronto, mas tinha o potencial de um livro que eu poderia mostrar para um agente sem sentir vergonha. Lachlan teria de trabalhar nele enquanto estivesse na Itália, que era para onde pretendia ir em seguida. Sua primeira parada seria na casa de sua amiga Ruth, nas montanhas perto da fronteira suíça. Ruth, que era irlandesa, costumava ensinar inglês com Lachlan em Roma, depois se casou com um viúvo italiano que a levou para os Alpes. Lachlan admitiu que poderia ficar com eles algumas semanas; não sabia para onde iria de lá. Sua intenção era organizar seus livros e outras posses espalhadas pela Itália em porões e sótãos de outras fêmeas britânicas que antes ensinavam inglês e depois se casaram com italianos. (Por que não pensei nisso?) Ao longo do caminho, veria se existia uma cidade italiana onde pudesse pensar em montar uma estante própria.

— Talvez eu devesse viver em Nova York — costumava dizer quase todo dia. Esse era o meu desejo, mas não ousava dizê-lo. Eu temia sua partida, e ele parecia relutar também. Tirou montes de fotos do meu edifício. — Sinto como se esta fosse minha casa — dizia.

Discutíamos minuciosamente sobre o tipo de trabalho que ele poderia fazer ali. Ofereci apresentá-lo a editores de revistas; ele sugeriu que abríssemos um restaurante juntos. Mas a conversa sempre desanimava diante da realidade da imigração e das questões do visto. Dois dos meus colegas na *Harper's* eram estrangeiros que trabalhavam nos Estados Unidos sob uma provisão conhecida como "estrangeiros residentes".

— Você poderia se candidatar ao "estrangeiro residente" — proferi quando analisamos as opções. Sempre gostei do toque extraterritorial do termo e ficava deliciada em ser capaz de adaptá-lo à proclividade particular de Lachlan. Em minha tentativa de promover os Estados Unidos como um lar para Lachlan, fiz esse prato caracteristicamente americano: bolinhos de caranguejo que servi numa cama de purê de batatas e milho.

Bolinhos de caranguejo Colônia de Maryland

(Adaptado da revista *Bon Appétit*)

2 colheres de sopa de aipo picado
2 colheres de sopa de cebolinha, apenas a parte verde, picada
2 colheres de sopa de maionese
1 ovo
1 ½ colher de chá de mostarda dijon
¼ de colher de chá de sal
⅛ de colher de chá de pimenta-de-caiena
220 gramas de carne de caranguejo
1 ½ xícara de *panko* (ou farelo de pão, que é mais americano, acho, mas não tão saboroso)
1 colher de sopa de azeite de oliva
1 colher de sopa de manteiga
1 limão, cortado em cunhas

Numa vasilha de tamanho médio, misture tudo, menos os dois últimos ingredientes. Modele em 4 pequenas ou 2 grandes tortinhas, de acordo com a sua disposição e espírito de abundância. Ponha no refrigerador, coberto com plástico, por pelo menos 1 hora.

Em fogo médio, frite os bolinhos em azeite de oliva e manteiga até ficarem dourados, cerca de 4 minutos de cada lado. Sirva com as cunhas de limão.

Rendimento: 4 bolos pequenos ou 2 grandes de carne de caranguejo.

Para continuar minha campanha de relações públicas, levei-o a Filadélfia, berço da liberdade, uma cidade que conheço bem porque minha irmã Nancy fez o ensino médio e se graduou na faculdade lá e eu costumava visitá-la com frequência. O Museu Filadélfia de Arte é um dos meus favoritos e eu queria mostrá-lo a Lachlan. Ele se enlevou com os Chardin e superou meu conhecimento da arte renascentista italiana enquanto dávamos uma volta pelas galerias de mãos dadas. Depois o levei ao Independence Hall e ao Sino da Liberdade, ele sacudiu os punhos e lançou uma divertida tirada sobre os Pais Fundadores serem um bando de fraudadores de impostos.

Tudo parecia ir bem com o projeto fazer-de-Lachlan-um-americano, mas aí ele parecia ter alguma ideia na cabeça que me deixava desanimada. "A única coisa que me impede de morar aqui é que poderia ocorrer algum ataque terrorista" era uma delas.

Além da hesitação de Lachlan sobre Nova York como possível lar, tínhamos outros costumes desenvolvidos no curso daqueles 24 dias (não que eu tenha contado). Depois da soneca de Lachlan, vinham o café e o sorvete Häagen Dazs. Provamos todos os sabores, do pudim puxa-puxa de caramelo (bom), banana split (excelente) aos cones de caramelo (fora deste mundo, especialmente se você tiver a sorte de pegar montes de coninhos). Chovia muito, e Lachlan, de qualquer modo, não gostava muito de sair de casa, então víamos *Da Ali G Show* juntos. Lachlan nunca ouvira falar em Sacha Baron Cohen, mas, uma vez exposto, ficou vidrado. Ele se referia afetuosamente ao programa como *Dude*. "Vamos ver outro *Dude?*", dizia. Borat era seu personagem favorito. Era quase impossível tirar Lachlan do apartamento entre a soneca e *Dude*. Às vezes, o isolamento me deixava extremamente irritada, e eu insistia em que saíssemos para passear. Lachlan vinha junto, segurando minha mão o tempo todo, me agradecendo por forçá-lo a sair. Então, arrastava-se imediatamente depois de retornarmos, esgotado pelo exercício.

Ainda assim, para uma pessoa muito cansada, conseguiu adaptar-se um bocado naqueles dias. Lachlan estava sempre pronto para uma situação ou pessoa nova que pudessem estimular sua imaginação literária. Ele levava fichas de arquivo para tomar notas para sua ficção e as levou para a circuncisão de Benjamin, o bebê de Jen e Jeff, que nascera poucos dias depois de nos encontrarmos. Ele se arrastou para fora da cama às 7h para a cerimônia e até conseguiu reunir energia para ajudar a levar os muitos presentes do templo para o carro na chuva torrencial. "Convide-me para o casamento, dou bons presentes", disse a mãe de Jeff, Estelle. Era tão óbvio assim que tínhamos sido feitos um para o outro? Pegamos o metrô para Coney Island e o carro passou pelo Bronx (que Lachlan achou insuficientemente ameaçador). Ele estava pronto para qualquer coisa, realmente, exceto sexo — ao menos comigo.

E, mesmo assim, a reprodução estava muito em sua cabeça.

— Vamos ter que nos apressar se quisermos ter filhos, ambos estamos ficando velhos — ele disse, matutando sobre o tópico dos bebês numa caminhada num domingo.

— Por que você não fica aqui e tentamos tê-los juntos? — respondi, achando que era isso que ele estava insinuando.

Lachlan parou e me abraçou.

— *Chi sa?* — ele disse ("Quem sabe?").

(Fiquei estimulada. Isso era mais do que jamais consegui de Ethan sobre o assunto.)

— Mas preciso ganhar dinheiro — disse Lachlan.

— Estamos trabalhando nisso... pequeno Lorenzo Melucci Martyn— fantasiei em voz alta.

— Haveria uma escola britânica para onde pudéssemos mandá-los?

— Claro, Nova York tem todo tipo de escola.

Eu não fazia ideia se existia uma escola britânica. De qualquer modo, que adiantaria mandá-los para essa escola, se os ingleses falam mais ou menos a mesma língua que a maioria dos americanos — ensinar às criancinhas que o país que eles habitavam havia sido fundado por fraudadores de impostos?

Por mais que me frustrassem, as reflexões de Lachlan alimentaram minhas fantasias naquelas semanas. Eu só poderia presumir que ele estava questionando seu próprio caminho porque seu amor por mim o levara a repensar o futuro. Não tinha importância que aos 46 anos Lachlan não tivesse um lar, que nunca ficasse num mesmo lugar por um período prolongado e nunca tivesse se comprometido com uma mulher. Todos têm que amadurecer em algum momento. Eu mesma ainda tinha que amadurecer. "Não posso continuar assim para sempre e nem você", ele dizia. Por que eu não deveria achar que essas afirmações significavam que ele estava pronto para uma vida compartilhada no meu apartamento de um quarto só em Park Slope? Aquele desespero de Lachlan para ser publicado vinha de um anseio por uma vida mais séria. Eu estava convencida de que havíamos nos conhecido para passar à próxima etapa juntos. Eu o ajudaria em sua carreira, e ele me ajudaria com aquela coisa de casamento e filhos com a qual eu tinha tantos problemas. Destino.

Fiquei triste à medida que a data da partida de Lachlan se aproximava. Eu chorava, e ele me dizia que não havia razão para ficar triste.

— É tão surpreendente que tenhamos nos conhecido. Ambos encontramos um amigo, possivelmente para o resto de nossas vidas.

Fiquei apenas um pouco chateada com o uso da palavra "amigo", optando por vê-la de forma positiva — afinal, o marido de alguém deve ser também o melhor amigo desse alguém. Mas se Lachlan não fosse voltar, o encontro não era motivo para celebração, ao menos para mim.

— Eu não ficaria surpreso se eu voltasse — ele disse quando saía pela porta do meu apartamento, no que poderia ter sido a última vez.

— Eu também não ficaria surpresa — respondi.

— Então, novamente, não faz sentido eu voltar se nenhum de nós ficará surpreso.

Chegamos ao aeroporto com tempo de sobra graças ao medo de voar de Lachlan e à chuva torrencial. Sentamo-nos e tomamos café num pequeno bar num canto do aeroporto de Newark, onde Lachlan sentou-se ao meu lado, com o braço em volta dos meus ombros, olhando-me nos olhos. Isso parecia amor para mim, mas Lachlan nunca usava essa palavra. "Eu te amo" escapou da minha boca quando demos adeus na fila de segurança. Não tinha intenção de dizer aquilo; as palavras simplesmente saíram numa voz tão baixa que ele pode nem ter ouvido.

Naquela noite, me deitei enrodilhada com o primeiro romance de Lachlan, que havia pedido via Amazon.uk, numa loja em Campbelltown, Argyll, no dia em que o conheci. Não contei a Lachlan que o comprara e ele não me contou que o vira em minha estante e o autografara. "Com amor, da *plage* em Coney Island." O romance era um diálogo interior, bastante incompreensível e, embora muitas frases fossem ofuscantes e outras hilariantes, eu mal podia compreender as palavras que as compunham e também tive de trazer para a cama comigo os dois volumes do Shorter Oxford — e nem todas estavam ali! Eu precisaria de todos os vinte volumes do The Oxford English Dictionary, livros que não tenho e que teriam enchido demais a cama, de qualquer maneira. Aparentemente, meu namorado era um gênio enrolado.

"Não posso dizer que já tenha superado meu *jet lag*", dizia seu primeiro e-mail, transmitido de um *dial-up* numa montanha italiana, "mas estou cheio de lembranças felizes".

Mensagens ardentes que terminavam com "AMOR" e "Bjs bjs bjs" chegavam de Lachlan quase diariamente nas semanas cheias de suspense que se seguiram. Elas me informavam que eu estava em sua mente o tempo todo — ou ao menos quando ele não pensava em seu livro — ele me imaginava no mercado do fazendeiro no sábado de manhã; passando pela ponte Manhattan no metrô B enquanto o sol se punha a caminho de casa depois do trabalho; ou à noite, coberta de sorvete Häagen-Dazs(?). "As horas da cama e das refeições não são o mesmo sem você", ele escreveu. Qualquer que fosse o sentimento que ele transmitisse, eu o multiplicava por dez e mandava de volta para ele.

Durante a maior parte do tempo, eu gostava desse suspense. "Se ele voltar e nos casarmos, me lembrarei destes dias como os mais felizes de minha vida", dizia para Ginia. Esta era a situação ideal para mim — ficar sozinha em meu lindo apartamento, e a perspectiva de amor eterno estar viajando na península italiana e não em meu refrigerador.

Foi o primeiro banquete da estação em meu novo lar. Eu recebia quase todas as semanas. Um dos mais memoráveis jantares daquele outono foi uma competição de muçarela que inventei com minha amiga Jesse, repórter do *The Wall Street Journal*. Jesse e seu marido, Neil, que era escritor, eram meus vizinhos e, frequentemente, nos encontrávamos no mercado do fazendeiro. Pensamos durante meses em lançar esse desafio e, finalmente, o fizemos juntas, a tempo apenas de juntar o queijo com os últimos tomates do verão.

Não há nada que se compare ao sabor penetrante da muçarela feita com leite de búfala; os melhores exemplos vieram de onde meus parentes viviam na região de Campania, no sul da Itália. Esse queijo é importado pelos Estados Unidos, mas, quando é retirado do avião, já passou há muito de sua melhor forma. A muçarela morre com a refrigeração. Tem de ser comida no dia em que é feita; assim, é melhor contentar-se com a muçarela inferior de leite de vaca que é feita localmente à mão que desperdiçar dinheiro com a coisa importada. Nas vizinhanças de Nova York que foram outrora guetos ítalo-americanos há muitos desses queijos para provar. Cada um dos meus convidados trouxe muçarela de uma região da cidade — Bensonhurst, Little Italy, Greenwich Village e Carroll Gardens — e examinaram os *latticini* que ainda prosperam sob o feroz ataque dos jovens e ricos entusiastas da comida que se mudaram para esses enclaves. Fizemos um pouco de degustação sem que ninguém soubesse quem havia trazido ou de onde era a muçarela, escolhemos um vencedor e depois continuamos a comer outros pratos. Fiz o *rigatoni* com berinjelas de Lachlan (receita na página 246) e assei costela de porco com alecrim. De sobremesa comemos *canoli* de uma padaria de Dyker Heights. Todos tinham de levar para casa algum queijo, mesmo depois de termos comido os perdedores. Fiquei com o meu *freezer* cheio de muçarela durante meses. (O queijo congelado é bom para derreter numa lasanha, com parmesão ou *macaroni* cozido.)

Porco assado clube da comida

6 dentes de alho
¼ de xícara de alecrim fresco
2 colheres de chá de sal
Pimenta moída na hora
1 (2 a 2,3kg) da parte central da coluna vertebral (peça ao açougueiro para cortar as costelas e depois recompor o assado com uma linha)
1 colher de sopa de azeite de oliva
½ xícara de vinho branco

Preaqueça o forno a 170 graus.

Corte o alho e o alecrim à mão (ou melhor ainda, num processador de alimentos). Misture-os numa vasilha pequena com o sal e a pimenta moída na hora. Esfregue a carne com azeite de oliva e depois com a mistura alho-alecrim. Deixe descansar na temperatura ambiente durante 30 minutos.

Ponha a costela com a parte da gordura para cima numa forma, depois jogue vinho branco sobre ela. Asse no centro do forno até o termômetro registrar 140 graus, cerca de 90 minutos. Remova do forno e deixe a carne descansar numa tábua de cortar carne, coberta com uma folha de alumínio, durante 20 minutos antes de fatiar.

Tire a linha, separe os ossos do lombo e corte a carne na espessura desejada. Você pode cortar as costelas e servi-las também, ou guardá-las para acrescentá-las ao molho de tomate. (Costelas de porco dão mais sabor ao molho.)

Rendimento: 6 porções.

O ataque de lactose mostrou ser demasiado até para uma constituição robusta como a minha. Acordei no dia seguinte com dores pungentes no estômago, exacerbadas por um e-mail de Lachlan, de quem eu não sabia havia dois dias. Ele descera a montanha e agora estava em Milão. "Talvez eu pudesse viver aqui", escreveu. Voltei para a cama. No dia seguinte ele estava em Roma e, uma semana depois, ainda estava na Cidade Eterna, irritando-se com a estagnação da cultura italiana, que "eu acho muito sufocante, se devo ser honesto". Eu me senti bem quando ele se sentiu mal na Itália. Por mais que gostasse da terra dos meus ancestrais, não queria meu escocês lá; eu o queria em Nova York comigo.

Lachlan concentrava-se no romance enquanto vivia em sofás emprestados e conexões de internet. Enquanto isso, eu pesquisava agentes de livros em lançamentos de livros ou conversas telefônicas com editores amigos. Não conseguia imaginar como Lachlan terminaria qualquer trabalho da forma como vivia, e até ele admitia que aquele estilo de vida o entediava.

"O que está pensando do futuro?", escreveu num dia em que se sentia particularmente perdido.

"Estou pensando num futuro com você", respondi, supondo que ele procurava o lar que eu queria lhe dar junto com o acordo para publicar o livro.

"Não posso pensar em nenhum tipo de futuro, só penso em terminar meu romance. Quando tiver feito isso, não me importarei se tiver de dormir debaixo da ponte", ele escreveu.

Aparentemente, aquela ponte ia conectar-se a um complexo de salas de cinema.

"Quando o filme de Borat vai estrear?", perguntou Lachlan na manhã seguinte.

"O filme de Borat estreia no início de novembro."

"Oh, isso parece um *timing* muito bom para mim", ele respondeu, e pensei, Oh, ele vai voltar no início de novembro. Em retrospecto, percebo que ele não tinha ideia do que estava fazendo, mas gostava de alimentar minhas esperanças até tomar "uma decisão muito bonita, racional e romântica", algo que faria quando tivesse terminado o livro.

Isso levou sete semanas, mais algumas horas de computador remexendo no final dado por Lachlan. Algumas poucas instruções minhas funcionaram e fiquei acordada a maior parte da noite lendo. O romance fora polido: menos desconexo, mais engraçado. Lachlan havia conseguido!

Encontrar um agente para ele não seria difícil, embora parecesse absolutamente torturante. Essa missão estava acima e além do chamado ao dever para qualquer amigo; eu não faria isso por minha mãe, e ela não estava enviando sinais ambíguos para mim pelo Atlântico. Mas eu faria isso pelo nosso futuro, aquele em que pensava enquanto ouvia aquela música do Zero 7 em meu iPod toda manhã no metrô. "Mesmo que estejamos a milhas de distância, somos o destiiiiiiiiiiiiiino um do outro."

O primeiro agente para quem telefonei foi o amigo de um amigo que eu conhecia vagamente, um ex-agente badalado que estava reassumindo depois de um pequeno, digamos, problema de saúde. Ele ficou totalmente interessado no romance quando o expliquei para ele no telefone. Ele se considerava um entendido em escoceses — estudara em Edimburgo e venerava Sir Walter Scott. "Mande para mim por e-mail", disse. "Falo com você no início da semana que vem." Dei os toques finais na carta de abertura em que havia trabalhado durante dois dias e que Kit e Anne editaram e lá se foi o romance.

Quando o início da semana que vem se transformou no fim da semana que vem e depois o início da semana seguinte se transformou em duas semanas de atraso, comecei a perder a esperança e acrescentei a procura de um agente literário a uma lista sob o título "Coisas que são como namorar". Realmente, tudo na vida é como namorar — se você não receber o telefonema, você não consegue o agente (o apartamento, o namorado). Lachlan mandou sua solidariedade de além-mar e dormiu com o telefone alugado ao lado dele na cama para o caso de haver novidade durante a noite. Quando eu finalmente juntei coragem para dar o telefonema de *follow-up* recebi a resposta que esperava. Fiquei hesitante, principalmente porque não queria passar por tudo aquilo outra vez e quem sabe quantas vezes teria de fazer aquilo outra vez. A perspectiva dessa tarefa *à la* Sísifo fez eu querer me deitar. Em vez disso, peguei o telefone e liguei para a agente que tinha pensado para

Lachlan desde o começo, aquela que eu sabia que conseguiria publicar o livro e para quem estava com medo de telefonar porque ela era um verdadeiro portento.

Eu trabalhara em alguns de seus autores excêntricos nos dias movimentados de minha carreira de agente de publicidade de livros e fizera um trabalho muito bom com eles. Mas ela era uma mulher muito ocupada, e eu não esperava que se lembrasse de mim. Sua assistente retornou a ligação e deixei um recado tortuoso com ela, relembrando minha história com a patroa dela, depois fui almoçar. Fiquei desanimada por ter dado aquele telefonema no auge do meu desalento. Tinha certeza de que estragara tudo e de que não teria mais notícias dela.

Lachlan não ficou tão esmagado quanto eu pela primeira rejeição, mas, na verdade, por que ficaria, se não teve nenhum trabalho? Além do mais, era de todo interesse dele me manter animada e trabalhando por seu livro. Eu me sentia esmagada pelo peso da necessidade dele, uma carga que só eu parecia carregar enquanto ele me mandava "travesseiros e fofuras e a cama mais confortável do outro lado do Atlântico". Tive que escapar para um fim de semana com Jen e Jeff na casa deles em Berkshires, onde havia montes de "travesseiros e fofuras", mas nenhum sinal de celular ou *wi-fi*, apenas para ter um descanso dele.

Naturalmente, foi quando eu estava ficando um pouco cheia de tudo aquilo que ele começou a pensar em voltar.

"Estou lendo F. Scott Fitzgerald enquanto olho um cartão-postal de Park Slope", ele escreveu após o meu recuo. Não respondi; ele tentou novamente. "Estou olhando os sites de viagem." *Isso* chamou minha atenção. Os voos eram caros, os únicos de preços acessíveis faziam conexão em Heathrow, e

Lachlan queria limitar suas decolagens e aterrissagens ao mínimo possível. Ele ainda não tinha certeza. Então, horas depois escreveu "estou pesquisando, pesquisando". Mas para onde?, me perguntei.

Teria que ser um voo de conexão, um voo que chegasse ao JFK naquele mesmo sábado. Mas antes de digitar o número do cartão de crédito, ele passou algumas horas surfando em sites de meteorologia, interpretando a direção dos ventos. "Não entendo as setas vermelhas sobre o Atlântico", escreveu, descrevendo o mapa de previsão semanal. Na altura do almoço ele já comprara a passagem. Fiquei tão animada, telefonei para Ginia imediatamente. Ginia estava esgotada de Lachlan, e com razão, mas não pisoteou os meus sonhos. Assim que desliguei, A AGENTE retornou minha ligação. Nervosamente descrevi para ela a complicada arte do romance de Lachlan, e ela se interessou! Pediu-me para mandar o manuscrito por mensageiro imediatamente. Fiquei ricocheteando na parede de alegria. Telefonei para Lachlan imediatamente, ainda mais animada pelo meu telefonema ter sido respondido PELA AGENTE que pelo retorno iminente dele. Não consegui dele o grau exato de agradecimento pelo que eu conseguira fazer acontecer. Ele não sabia a diferença entre este ou aquele agente ou o quanto eu era capaz. Eu também não, mas estava começando a fazer uma ideia.

Lachlan estava ligado em questões mais urgentes, como quanto espaço teria no meu "guarda-louça" (gíria britânica para armário). Ele pegara um casaco curto e uns suéteres mofados enquanto punha as coisas em ordem, e eles também precisavam de um lar. Uma vez que o meu viera com quatro armários completos, eu, de boa vontade, abriria um espaço de um quarto de um deles para Lachlan e uma gaveta inteira. Isso seria mais que suficiente.

Pulei da cama naquele sábado de manhã depois que um texto de Lachlan, que tomara um Xanax e estava esperando para embarcar num avião em Roma, me acordou. Havia mil coisas a fazer para preparar a chegada dele. Arrastei minha pequena bolsa de compras de rodinhas para o supermercado, onde a enchi de todas as comidas favoritas dele. Comprei uma caixa de laranjas doces pequenas e todos os ingredientes para bolinhos de maçã. Passei uma tarde deliciosa cozinhando em minha cozinha, na expectativa de voltar a me encontrar com Lachlan. Após dez semanas de dúvidas, não podia acreditar que ele estava voltando de verdade.

Bem-vindo de volta aos *muffins* de maçã da Grande Maçã

Manteiga amolecida para untar as forminhas de *muffin*
2 xícaras de farinha de trigo integral (porque Lachlan se preocupa com a saúde dele!)
½ xícara de açúcar
2 colheres de chá de fermento em pó
½ colher de chá de canela
½ xícara (½ barra) de manteiga, derretida (porque Lachlan e magro demais!)
1 ovo batido
1 xícara de leite
2 maçãs médias, sem casca, sem miolo e sementes, picada

Preaqueça o forno a 200 graus. Unte 12 forminhas de *muffin* com manteiga mole.

Junte todos os ingredientes secos numa vasilha grande. Em outra vasilha, junte todos os ingredientes molhados. Junte os ingredientes molhados aos secos com uma colher até que formem uma "liga", depois acrescente as maçãs picadas

Ponha a massa nas forminhas e asse por 20 minutos; deixe esfriar nas forminhas por 10 minutos e depois deixe descansar sobre uma grade para esfriar. Sirva quente se não tiver que buscar alguém no aeroporto.

Rendimento: 12 *muffins* (se encher as formas até a borda, como eu faço, conseguirá apenas 9 *muffins* com esta receita).

Localizei sua silhueta primeiro, um homem pequeno com uma grande mochila nas costas. Quando ele saiu do terminal da British Airways no JFK, nos abraçamos e Lachlan tomou minha mão da maneira que sempre fazia quando caminhávamos na direção do carro de minha mãe.

— Quando chegarmos em casa, tiraremos nossas roupas, tomaremos um banho e nos beijaremos — ele disse, o que era muito mais do que eu esperava ouvir dele, sem falar em fazer com ele. Somar dois aviões e *jet lag* à equação da baixa libido de Lachlan e sua inclinação para a exaustão, na melhor das circunstâncias me deixaram pronta para um reencontro alegre, porém casto. Nossa vida sexual raquítica me viera à mente enquanto Lachlan estava longe, mas eu, na verdade, não me importava muito com isso. Só olhar para ele me fazia sorrir: seu rosto de elfo, seu corpo esguio dentro de uma camisa Lacoste azul-marinho do tamanho da de um garoto, usada e velha. Lavei aquela camisa carinhosamente para ele e tive o cuidado de não colocá-la na secadora. Lachlan queria preservá-la e ela merecia isso.

Tomamos um banho, nos beijamos e fizemos todas as coisas que a surpreendente declaração de Lachlan implicava. Mais surpreendente ainda foi a pilha de presentes que ele trouxe para mim — havia um cachecol bem bonito de pelo de camelo, um livro de ensaios de Aldo Buzzi, uma pequenina estrela de lantejoulas para a nossa iminente árvore de Natal e um pacote de palitos de pão crocante chamados Kissini, que ele comprara pelo nome. Quando me levantei da cama para fazer café, a visão das laranjas decantadas numa jarra de vidro transparente e os *muffins* de maçã cor de mel era quase tão bonita quanto a de Lachlan emergindo do banheiro com camiseta e bermudas de boxeador Marks & Spencer. Eu estava achando que meu apartamento era perfeito como era, mas não era assim. Eu precisava de alguma coisa para preenchê-lo, e essa alguma coisa era Lachlan.

Por mais deliciada que estivesse com o lugar, eu estava com problemas para conseguir paz ali. Constantemente precisava consertar algo com urgência — havia sempre alguma coisa para comprar, ou arrumar, ou limpar — tornando difícil ler, ver TV ou relaxar de alguma maneira. Sempre que tomava banho, conseguia fazer isso durante cinco minutos ou pouco mais, depois me sentia impelida a sair para cuidar de uma coisa ou outra. Desde o dia em que cheguei com minha mobília e caixas de coisas que, em sua maioria, jogaria fora para abrir espaço para coisas novas, nunca me senti tão relaxada quanto naquele domingo.

Ficamos preguiçosamente no apartamento durante a maior parte do dia, depois fizemos uma caminhada até o Cemitério Green-Wood, um marco do Brooklyn em cujos portões góticos vivia uma família de papagaios. Eu queria mostrá-los a Lachlan porque ele tinha uma coisa com papagaios — algo a ver com seus anos como professor de idioma.

Comprei um frango para jantarmos, pensando que o dia gelado pedia um ensopado de galinha e vinho, que eu chamo de *coq au vin*, embora minha própria receita se desvie um pouco da receita francesa tradicional. Enquanto a galinha cozinhava no vinho, eu me encharcava na banheira, derretendo-me na água quente e nas bolhas de sabão.

***Coq au vin* calmante**

2 colheres de sopa de azeite de oliva
4 fatias de bacon picado
1 cebola média picada
1 galinha, cortada em pedaços pequenos
½ garrafa de vinho branco seco
1 colher de sopa de manteiga
170 gramas de cogumelos fatiados
½ (140 gramas) pacote de ervilhas congeladas
1 xícara de arroz
¼ de xícara de salsinha picada

Aqueça uma colher de sopa de azeite de oliva numa frigideira grande em fogo alto; quando o azeite estiver quente, junte os pedaços de galinha e doure de todos os lados.

Enquanto isso, numa panela grande, aqueça a outra colher de chá de azeite e junte o bacon; quando o bacon estiver a meio caminho de ficar crocante, junte a cebola e cozinhe até ela ficar mole, cerca de 10 minutos. Quando o bacon estiver todo crocante, a cebola estará macia e a galinha dourada, então coloque as partes de galinha na panela e junte o vinho. Remova a gordura da galinha frita na frigideira, acrescente a manteiga e os cogumelos e cozinhe até que comecem a perder água; depois, junte a galinha, cubra e cozinhe durante 45 minutos. Quando esse tempo tiver passado, junte as ervilhas congeladas e cozinhe por mais 15 minutos.

Encha uma panela grande de água e deixe ferver, depois ponha o arroz. Cheque para ver se cozinhou completamente depois de 10 minutos. (Pode levar 15 minutos.) Escorra num escorredor médio e sirva a galinha numa cama de arroz nos pratos. Enfeite com salsa picada.

Suficiente para dois, com sobras.

Eu estava apreensiva com algumas coisas — como a passagem de volta de Lachlan. A data que havia nela — a alguns dias do limite absoluto para visitantes sem visto, levando em conta as condições meteorológicas que poderiam forçar Lachlan a não obedecer à data — ficou em minha cabeça como uma canção ruim. Eu também estava preocupada em manter minhas atividades normais enquanto ele estava comigo, principalmente porque não queria perder um momento ou uma refeição com meu amado. Eu teria de achar um jeito de voltar às aulas de "Core Fusion" (uma combinação de ioga, pilates e balé, que existe apenas num *spa* luxuoso inconvenientemente localizado em Manhattan) que vinha fazendo quatro vezes por semana e que se haviam tornado uma necessidade para minha saúde física e mental, especialmente já que eu tinha a intenção de nos alimentar bem. Depois, havia minha saúde espiritual, nutrida pela missa aos domingos. Eu ainda não dissera a Lachlan que era católica praticante, embora tivesse insinuado que acreditava em Deus. Lachlan não se irritava com nenhuma das exigências do meu estilo de vida; na verdade, meu medo de estar longe dele naqueles momentos era por nada. Terminou me acompanhando em quase todas as atividades, exceto no trabalho (e ele também aparecia lá de vez em quando).

Lachan e eu facilmente recaímos em todas as rotinas que havíamos estabelecido em agosto. Nos sábados pela manhã, ele ouvia a Primeira Liga Escocesa de futebol na Rádio Escócia, que pegamos pela internet. Era fã do Hibernian e amaldiçoava todos os outros times que mantinham seu amado "Hibs" fora do primeiro lugar. Eu ia ao mercado do fazendeiro e à lavanderia enquanto ele exclamava e aprovava e fazia todo tipo de ruídos escoceses para exprimir suas emoções durante o jogo. Depois nos sentávamos para um café da manhã britânico (não inglês!) de ovos, bacon, torradas e feijões cozidos Heinz (eu não gostava tanto dos feijões). Enquanto comíamos, escutávamos *Your Call*, um programa para escoceses fãs de futebol obcecados que telefonavam e se lamuriavam pelos lituanos ricos que estavam comprando os times locais, negociando jogadores e causando confusão. Uma das âncoras era uma mulher, e nós fazíamos piada sobre telefonar para ela e conseguir algum conselho fraternal sobre o fanático pelo Hibernian em minha casa. Tínhamos certeza de que eles nunca haviam recebido nenhum telefonema de um lugar tão remoto quanto o Brooklyn.

O café da manhã era a melhor parte do dia. Eu adorava ver Lachlan untar a torrada dele com manteiga e geleia de laranja. Ele me perguntava se eu queria uma segunda torrada enquanto comia sua terceira. Eu sempre dizia não, depois relutantemente cedia e Lachlan nunca se cansava de se divertir com o resultado previsível de minha indecisão. Nos dias de semana, eu odiava me separar dele enquanto ficava sentado no sofá ouvindo o BBC World Service no rádio. Durante o dia, mandávamos e-mails um para o outro e falávamos pelo telefone, então eu voltava para casa e o encontrava no exato lugar onde o deixara, lendo e usando dois pares de óculos, os óculos para ler à distância e os óculos para ler de perto por cima daqueles. No meio-tempo ele poderia ter se aventurado até a livraria local; certamente fizera almoço para si e, em seguida, tirara uma longa soneca. Raramente saía de casa a não ser para ir a algum lugar comigo.

Fomos ver o longamente esperado filme de Borat num cinema local em Park Slope. Chegamos lá cedo, achando que o cinema estaria lotado de nossos colegas amantes de Ali G. Ai de nós, Park Slope é um pouco mais Charlie Rose que Ali G — não havia ninguém no cinema além de nós e outra mulher que, por coincidência, era de Londres. Terminamos conversando com ela porque ficamos ali tanto tempo sentados sozinhos com ela e porque não era fácil para Lachlan engolir sua tagarelice.

— Imaginei ver isso num grande cinema americano — ele me disse logo antes de as luzes se apagarem. Passei o filme inteiro me preocupando com o fato de eu ter falhado ao escolher a sala de cinema apropriada para essa importante estreia. Por que não optei por um multiplex gigante em Times Square? Essa era a experiência de vir para os Estados Unidos que Lachlan buscava e cá estávamos nós sentados com Polly de Pimlico. Foi exatamente então que senti minha serenidade começando a despedir-se.

Os problemas de Lachlan eram físicos. Depois de se ajustar ao fuso horário, ele caiu de cama com uma gripe terrível; quando isso foi embora, descobriu uma pequena espinha na nuca que tinha de ser câncer. No meio de todas essas aflições, Lachlan não estava "se sentindo muito sexual". O Dia de Ação de Graças caiu na porção fria desse ciclo. Peguei algumas *echinacea*, erva nativa da América do Norte usada para preservar o sistema imunológico, na volta do trabalho para casa na quarta-feira e fiz essa lasanha com a muçarela que sobrara da degustação de setembro e que eu estava guardando no congelador. Isso era o que minha mãe sempre fazia na noite da véspera do Dia de Ação de Graças, uma pequena concessão à nossa cultura, mas não o grande aceno que outras família ítalo-americanas faziam servindo massa como primeiro prato do feriado. Esse é um costume que minha mãe acha sem consciência. Não me pergunte por quê — minha mãe é minha mãe, é a melhor razão que posso dar.

Lasanha da véspera do Dia de Ação de Graças

para o molho de carne:

(Você pode usar esse molho com espaguete, ou *tortellini*, ou qualquer massa que desejar.)

450 gramas de carne bovina moída
2 colheres de sopa de azeite de oliva
1 cebola amarela pequena picada
1 dente de alho
1 pitada de pimenta calabresa
1 (800 gramas) lata de tomates
½ de xícara de vinho tinto
1 colher de chá de açúcar
1 colher de chá de sal
1 xícara de folhas de manjericão

Doure a carne em fogo médio até que toda a cor vermelha tenha desaparecido e sido substituída por um pouco atraente tom cinzento. Aqueça o azeite de oliva numa frigideira grande em fogo médio e junte a cebola, o alho, a pimenta vermelha, frite até que o alho esteja dourado e a cebola transparente. Quando a carne estiver toda marrom, descarte a gordura e junte a carne ao alho e à cebola. Acrescente os tomates, o vinho, o açúcar, o sal, cozinhe até ferver, baixe o fogo e cozinhe por 30 minutos, mexendo ocasionalmente. Junte as folhas de manjericão.

Para o recheio:

900 gramas de ricota
2 ovos, levemente batidos

½ colher de chá de sal
½ xícara de água
Azeite de oliva para untar

Aqui é onde eu evito muito trabalho para você:

1 (260 gramas) caixa de massa de lasanha que não precise ferver (sei que critiquei a marca antes, mas a lasanha da Barilla é boa)
4 xícaras de tiras estreitas de muçarela (eu recomendo que você mesma as corte com um ralador ou processador de comida munido de uma lâmina para cortar)
1 xícara de parmesão ralado na hora (recomendo que você mesma o rale)
Pimenta moída na hora

Preaqueça o forno a 190 graus.

Misture a ricota com os ovos, depois junte o sal e a água. Unte um pirex de 22 x 33 cm com um pouco de azeite de oliva e uma camada de molho, depois arrume a massa, seguida da ricota, 1 xícara de muçarela, ¼ de xícara de parmesão e pimenta moída na hora, seguida de uma concha ou duas de molho. Continue a fazer isso em três camadas de recheio, depois cubra com uma camada mais de massa coberta de molho e polvilhada com o queijo restante.

Cozinhe por 45 a 50 minutos até que esteja dourada e borbulhante. Deixe descansar por 10 minutos mais ou menos antes de servir.

Serve de 8 a 10.

As ervas e o queijo deixaram Lachlan bom o bastante para irmos à casa de meu irmão em Connecticut. Eu o preparei para a insanidade, como faço todas as vezes que alguém que quero impressionar está para ser confrontado com minha família, embora ninguém jamais pense que eles são estranhos de maneira alguma. Lachlan encontrou apenas espíritos afins. "Ela me lembra você", ele disse de Carla, "ela lança faíscas". Ele discutiu Raymond Carver com Matthew e Monty Python com Nick. Nancy, na Califórnia, estava presente através do laptop de Matthew, que ele pôs sobre a mesa para incluí-la na diversão via Skype. Isso, para Lachlan, era loucura, e o resto de nós apenas achamos irritante, então pus o computador para dormir enquanto Matthew estava ocupado demais para notar, cozinhando e servindo.

Quando telefonei para minha mãe no dia seguinte para saber o que havia achado de Lachlan, ela foi entusiástica: "Ele é uma pessoa com quem você instantaneamente se sente à vontade." Era verdade. O desconforto, eu estava para conhecer, vem mais tarde.

Anne encontrou-se com Lachlan para os restos da lasanha no sábado seguinte e os dois se deram bem num instante. Ginia, que o conhecera no verão anterior, voltou a se dar com ele num jantar que a nossa amiga Meredith deu em homenagem à volta dele, mas ela se fez de difícil, não que Lachlan tenha notado. Eu o exibia nas festas dadas por meus colegas da *Harper's* e até o arrastei para um almoço com os padres. Eu esperava que logo padre Joel, a quem Lachlan chamava de "ser minúsculo", pudesse celebrar algum tipo de cerimônia entre crenças. Aparentemente, só era preciso um aceno positivo do bispo para eu me casar com um presbiteriano.

Durante todo esse tempo, eu esperava notícias DA AGENTE. Eu havia falado com ela uma semana depois da chegada de Lachlan, o tempo que ela disse que precisaria para ler o manuscrito. Ela falou comigo ao telefone imediatamente, borbulhando de elogios para o romance.

— Comecei a ler agora e estou bastante convencida de que vou adorar, mas ainda não terminei — disse — Não o mostre a mais ninguém, terminarei em uma semana.

Lachlan me fez repetir a conversa com ela várias vezes

— Agora me conte mais uma vez — dizia, à medida que aquela semana se tornou muitas mais. — Ela disse que telefonaria para você em uma semana ou que terminaria de ler em uma semana? — Eu fazia uma nova tentativa de recriar a conversação o melhor que podia e até me referia às notas que tomara na expectativa de uma perseguição desse tipo.

— O que você gostaria de fazer se não estivesse trabalhando com edição de livros? — Lachlan me perguntou durante o jantar no restaurante Il Gattopardo, no centro da cidade, antes de um concerto de música clássica no Carnegie Hall (ele era uma autoridade em música analógica também). Eu lhe contei meu segredo, que sonhava ser escritora, algo que fiquei constrangida de dizer, especialmente porque não escrevera uma linha desde a faculdade. Mesmo assim, aquilo era o que sempre achei que devia estar fazendo, embora tivesse medo de tentar. Lachlan pôs de lado minha aspiração com um esnobismo típico de autor profissional.

— Por que alguém quer ser escritor? — bufou, como se a vocação fosse uma sentença que só ele fosse obrigado a cumprir pelo crime de seu brilho.

Lachlan mantinha contato com os pais, telefonando para eles de vez em quando para informar sobre o progresso do livro. Acho que ele gostava que soubessem o que estava acontecendo com sua carreira e também que tinha uma espécie de namorada, porque, quando estavam conversando, me fèz gesto perguntando se eu gostaria de falar com a mãe dele. Era um pedido dos mais estranhos, mas, pensando em que aquele gesto conotava compromisso, não quis de maneira alguma desestimulá-lo e peguei o telefone para falar com Harriet em Edimburgo, que parecia tão pouco à vontade quanto eu.

— Vejo que você achou o caminho para o coração de Lachlan — disse ela, depois de ouvi-lo gabar-se da minha comida na parte da conversa em que não estava falando sobre A AGENTE (da qual ainda não tínhamos notícia). Como eu gostaria que fosse simples assim. Eu, com certeza, chegara ao estômago de Lachlan, mas ainda não conhecia o caminho anatômico para o coração dele, se é que havia algum.

O caminho para outras partes de seu corpo era difícil de determinar também. Quando o falso câncer se dissipou, Lachlan esgotou as desculpas para evitar o sexo, então cavou um túnel em torno das minhas indisposições.

— O que preocupa você? — perguntou quando fomos para a cama uma noite. Na época, eu estava muito preocupada com a lava-louça, que não estava funcionando direito. Lachlan recebera o homem que fora consertar a lava-louça pela tarde, enquanto eu estava no trabalho, mas quando o abri à noite, fui confrontada por uma piscina de água branca malcheirosa e pratos sujos.

— Tudo — respondi à pergunta dele, reconhecendo que a minha necessidade de ter uma casa funcionando numa ordem precisa é um bálsamo neurótico para uma pletora de deficiên cias que percebo em mim mesma.

— Não sei por que você se preocupa, você é tão inteligente, é uma pessoa tão maravilhosa — disse Lachlan. Uma resposta que era tanto verdade quanto exagero. Ele interpretou minha ansiedade com utensílios como algo relacionado com ele, o que não era justo, porque eu não sabia tanto quanto ele o que estava acontecendo àquela altura. Se ele estivesse certo, aquela pequena máquina tinha um bocado de peso em suas prateleiras; não havia serviço que eu pudesse chamar para consertar Lachlan.

Nem tudo foi "dunas de areia e ar salgado" na noite seguinte em que Lachlan embarcou em algo além das carícias comuns na cama, mas em que, para os devidos efeitos, parecia estar interessado. Subitamente, parou.

— Não estou excitado — ele disse. — Você está ansiosa, e isso não é sensual.

Realmente, não foi a conversa íntima mais estimulante.

— Não vamos exagerar isso — disse Lachlan enquanto eu fazia exatamente isso.

Qual é a proporção correta de angústia que você deve mostrar depois de ouvir do homem que ama que você não é sensual? Aparentemente, Lachlan sabia qual era o percentual.

— Gosto de você, ponto final — ele disse quando lhe implorei na manhã seguinte para me explicar o que estava errado. — Todos os relacionamentos têm períodos em que não são sexuais. — Sim, é verdade, mas não deveriam atravessar primeiro a fase em que são? Mãos dadas e carícias à noite continuaram por algum tempo, mas nossa vida sexual estava oficialmente encerrada. Continuamos, no entanto, a dormir juntos na cama. Lachlan ficou apologético sobre sua frigidez a princípio; ele me abraçava na cozinha enquanto eu fazia o nosso jantar e dizia: "Me desculpe por ser tão esquisito." Comprou lírios para mim, que "simbolizam virgindade" — uma mensagem inapropriada, embora eles fossem bonitos e enchessem o apartamento de um maravilhoso perfume —, trouxe para mim uma linda garrafa de Nebbiolo, um dos meus sucos de uva favoritos. Mas, acima das fragrâncias e sabores finos estavam as palavras "você não é sensual". Meus sentidos ficaram sobrecarregados com o som daquela frase.

A pergunta que queimava minha mente, se o problema estava com ele ou comigo, deveria ser facilmente respondida pelo fato de Lachlan estar desenvolvendo um afeto extraordinário por uma concha de sorvete — um objeto de plástico púrpura no formato de um homenzinho, com uma cabeça redonda que colhe o sorvete e um corpo em forma de pera como cabo. Lachlan o batizou de "Scoopy" e insistiu em que fosse liberado de sua gaveta e ficasse sobre os próprios pés rachados na pia da cozinha. Numa sexta-feira à noite, Lachlan o trouxe para a sala de estar para assistir *Chitty Chitty Bang Bang* conosco e durante alguns dias depois mudou a canção para uma das músicas do filme em homenagem a Scoopy: "Alguém para cuidar, para apoiar; temos Scoopy", cantava. Ele se referia constantemente a Scoopy como nosso filho, a terceira pessoa em nossa casa. Fez isso até na frente da minha mãe!

— Scoopy ficou muito perturbado! — Lachlan exclamou para mim em particular depois que ela riu de sua peculiaridade. Fiquei encantada com essa coisa do Scoopy e até cantava os hinos com ele, embora a vida com Lachlan estivesse miserável.

A outra coisa de que Lachlan gostava não era eu, era café. Não que o deixasse acordado, mas adorava bebê-lo, e era uma autoridade em fazê-lo. Ele se devotou ao estudo de técnicas para maximizar o potencial de sabor da bebida e tinha muitas ideias bem pesquisadas sobre o tema. Aprendi com Lachlan que nunca se deve limpar uma cafeteira (ou bule para chá, se for o caso) com sabão — deve ser limpa simplesmente com água e só com água. Uma nova máquina de expresso deve ser "amaciada" para o uso; para fazer isso, você prepara café com grãos já usados. (Acho que se você não é econômico, pode preparar o café com grãos novos e jogar o primeiro café fora. Mas, então, por que não simplesmente beber, dar uma risada e aguentar uma primeira e imperfeita xícara de café?) Lachlan insistia em que o pó fino, não importava o filtro, era o melhor para extrair o último resquício de sabor do grão. Tratava o café com uma espécie de reverência de Velho Testamento; era veneração mesclada com temor. Via perigos inerentes em atear fogo a grãos moídos e água sob pressão. Fazer uma xícara de expresso era flertar com a morte. Se a cafeteira fosse deixada ferver no fogão um minuto a mais que o necessário, poderia explodir e atirar água e café por toda a cozinha. Poderíamos morrer! Lachlan mantinha vigília constante enquanto o expresso fervia, assegurando-se de tirar a cafeteira do fogo no momento certo para ficarmos a salvo.

Não sigo nenhuma dessas máximas. Você acha realmente que eu seguiria conselhos para fazer café de alguém que dorme o tempo todo?

À medida que eu me cansava daquilo, minha generosidade minguava. Eu relutava em dar a Lachlan as menores coisas — como a dispendiosa lata de atum italiano de que ele se servia todos os dias no almoço. Aquele era um hábito que eu podia quebrar, sabendo muito bem o quanto Lachlan era obcecado por sua saúde. Aparentemente, ele não estava ciente do alto nível de mercúrio no atum. Senti que era meu dever deixá-lo saber que não era uma boa ideia comê-lo todos os dias. Instantaneamente ele buscou opções de almoço mais econômicas, como feijões e torrada.

A falta de preocupação de Lachlan pelas necessidades do meu corpo — um corpo que aguentava a carga de conseguir para ele um grande agente de Nova York — estava acabando comigo. Numa chuvosa segunda-feira de manhã, quando eu teria de ligar para ela pela quinquagésima vez, acordei chorando e não conseguia parar. Tentei explicar a Lachlan como a pressão estava me afetando; como dar aqueles telefonemas estavam consumindo minha energia. Ele se despediu desejando-me boa sorte e me dando um beijo de boca fechada, como fazia todo dia.

Meu descontentamento se refletiu em meus jantares, normalmente tão livres de incidentes. Durante a ocupação escocesa, houve incêndios separados em duas ocasiões. Na primeira, Jen e Jeff vieram provar o honesto linguado cozido de minha mãe, um peixe que provou ser mais complicado que o necessário porque quando puxei as folhas de laminado do forno para ver como estava o cozimento, elas escorregaram para o lado, espalhando gordura no fogão e levando as chamas a escapar para fora, descontroladas. Lachlan estava na sala de estar se divertindo com os convidados enquanto meus cílios e cabelos estavam sendo chamuscados na cozinha. Jeff, finalmente, ouviu meus gritos e correu para apagar o fogo. Foi então que percebi que o ocupante anterior do apartamento tinha inserido as prateleiras ao contrário. Essa descoberta pôs fim a algumas experiências próximas à morte, mas não a todas elas.

Linguado incendiário

¼ de xícara (½ barra) de manteiga derretida
⅓ de xícara de azeite de oliva
1 xícara cheia de farinha de rosca
¾ de colher de chá de sal
1 colher de chá de salsinha
Pimenta moída na hora
900 gramas de linguado ou solha

Preaqueça o forno a 190 graus

Junte o azeite e a manteiga numa vasilha rasa e grande; tempere a farinha de rosca com o sal, a salsinha e a pimenta e espalhe num prato. Mergulhe o peixe na manteiga e no azeite, cobrindo-o completamente, depois passe-o na farinha de rosca. Ponha numa forma e cozinhe no forno por cerca de 15 minutos até que a farinha em cima esteja ligeiramente marrom. (Não se preocupe, ajustei a receita para não haver gordura extra que possa incendiar o fogão.)

Rendimento: 4 a 6.

Tirei a sexta-feira antes do Natal para conseguir uma árvore com Lachlan. Nunca tivera uma árvore de Natal antes porque na sala de estar anterior não cabia uma. Infelizmente, a animadora cena de arrastar um pinheiro de Vermont pelas ruas de Brooklyn que dançava em minha cabeça quando visualizei o Natal com Lachlan um mês antes não seguiu o roteiro. Além do fato de estar chovendo novamente, arrastar um símbolo tão exultante pelas calçadas com um homem que você quer que ame você mais que tudo no mundo, mas que não ama e não amará, não importa quantos enfeites bonitos você possa sugerir, me encheu de tristeza.

Choveu no dia de Natal também. Lachan me deu de presente uma tábua de cortar pão desenhada com tabuinhas para o farelo cair por entre elas, fazendo do fatiamento do pão uma experiência completamente organizada. Um presente tão sexy quanto a nossa relação, você diria, mas foi isso que pedi quando ele me perguntou o que eu queria. Fiquei chocada por ele estar planejando me dar alguma coisa, mas Lachlan acreditava em presentes. Dei para ele uma edição lindamente ilustrada de Baldassare Castiglione do capítulo sobre grandeza do *Book of the Courtier*, um livro que eu amava em meus inocentes dias da universidade e que minha atual situação lembrava.

Na semana entre o Natal e o Ano-novo dei um jantar para os amigos que moravam fora da cidade e estavam em Nova York para as festas. Eles tinham sabido de Lachlan por e-mail e agora esperavam conhecê-lo. Uma pena que nessa altura nosso relacionamento estivesse tão murcho quanto o pudim frio de Yorkshire. Isso foi o que eu estava fazendo naquela noite, junto com rosbife, para o tradicional jantar britânico de domingo (embora fosse quarta-feira). Meus pudins tinham a aparência e o gosto perfeitos quando eu os tirei do forno depois de apagar um incêndio causado pela gordura que borbulhava na panela.

Desta vez, Lachlan ouviu falar na crise e correu para a cozinha com uma vassoura (?) para apagá-lo. O cabo da vassoura esbarrou no lustre, lançando vidro estilhaçado por todo o chão, de modo que, depois de controlar as chamas, fomos varrer a outra bagunça. Além disso, a carne ficou dura. Não me diverti naquele jantar, mas isso era o esperado naquele campo, e ali não era nenhuma St. Andrews Links.

Rosbife apimentado

(Adaptado de epicurious.com)

Sua carne não ficará dura a menos que você tenha um escocês sonegador vivendo em sua casa.

1 colher de chá de sementes de cominho
1 colher de chá de sementes de coentro
1 colher de chá de sementes de grãos de pimenta preta
1 colher de chá de sal
½ colher de chá de gengibre moído
⅛ de colher de chá de pimenta-de-caiena
1 dente de alho, fatiado fino
1 (1,350kg) peça de rosbife
2 colheres de sopa de azeite
2 colheres de sopa de coentro fresco picado

Preaqueça o forno a 170 graus.

Triture o cominho, o coentro e a pimenta preta num pilão, ponha-os num processador ou numa bolsa de papel ou plástico e quebre-os com um rolo para massa ou martelo. Misture o sal, o gengibre e a caiena com as especiarias trituradas. Com uma faca de descascar, faça pequenos furos em toda a carne; insira alho neles. Pincele a carne com o azeite e esfregue a mistura de especiarias nela.

Asse até que um termômetro de carne inserido no centro registre 120 graus para o meio da carne; isso deve levar de 50 minutos a uma hora. Quanto estiver pronto, leve a carne para uma tábua de cortar, cubra-a com laminado e deixe descansar durante mais ou menos 10 minutos. Corte em fatias finas e borrife com coentro.

Serve de 6 a 8 pessoas.

Pudim de Yorkshire

1 xícara de farinha de trigo
¼ de colher de chá de sal
1 xícara de leite
2 ovos ligeiramente batidos
4 colheres de sopa de manteiga derretida

Numa vasilha, misture farinha de trigo, sal e leite até que estejam bem misturados, depois junte os ovos e mexa até que a massa fique macia. Deixe descansar em temperatura ambiente durante uma hora.

Quando estiver pronta para assar, preaqueça o forno a 190 graus. Distribua a manteiga derretida entre 8 formas de *muffin*, depois distribua igualmente a massa entre as formas e asse até que esteja crescida e dourada, cerca de 15 a 20 minutos. Remova do forno e sirva imediatamente. Os pudins Yorkshire desinflam rapidamente, como as expectativas.

Rendimento: 8 pudins.

Choveu na véspera do Ano-novo e novamente durante o dia de Ano-novo, dois dos dias mais horrorosos de toda a minha vida. Ginia deu um jantar e, à meia-noite, não recebi um beijo do meu namorado. Disse a mim mesma que talvez na Europa as pessoas não beijassem as namoradas, ou as amigas, ou gerente de carreira, ou qualquer outra coisa que eu fosse, para celebrar a chegada do Ano-novo. Fui para o terraço para fumar um cigarro e rasguei minha saia nova ao subir no parapeito da janela para sair dali. Concentrei minha irritação naquilo durante o resto da noite.

Quando acordei na manhã seguinte, mais chuva. Mal podia me arrastar para fora da cama, que dirá para a festa a que eu planejava ir (dada por mais amigos que mal podiam esperar para conhecer Lachlan). Ginia deveria ir, mas desistiu. Anne hesitava. Eu não queria ir para a festa, mas com certeza não queria passar o dia sozinha no apartamento com Lachlan. Fiquei paralisada sob as cobertas com meu telefone, tentando convencer alguém a ir junto comigo.

Anne concordou relutantemente em se juntar a nós e, enquanto Lachlan esbanjava charme com alguma senhora obesa, ela e eu nos cobrimos de confeitos de arroz pintados de verde com a forma de guirlandas. Foi, finalmente, quando contei a ela tudo que estava acontecendo na minha casa. Quando se está presa numa situação como a que eu estava, não se quer contar para os amigos porque isso significa admitir para si mesma que aquilo realmente está acontecendo, mas quando você o faz, ela se torna muito mais suportável. O *marshmallow* derretido e o desabafo me fizeram sentir um pouco menos sozinha. No caminho de volta para casa, agora que eu estava me sentindo levemente menos condenada, Lachlan, Anne e eu conversamos sobre resoluções para o Ano-novo. Você sabe qual era a de Lachlan. Anne e eu falamos sobre escrever nossos próprios livros, algo em que vínhamos falando havia alguns meses, embora nenhuma de nós tivesse alguma ideia sobre o que escrever; apenas tínhamos a incômoda sensação de que deveríamos escrever alguma coisa. "Você é uma cozinheira tão boa, devia escrever um livro de arte culinária", disse Lachlan. A ideia não era "idiota", como Lachlan teria dito se fosse eu a ter a ideia de um livro de arte culinária. Eu não sabia como teria essa ideia, mas, naquele dia negro, senti um brilho de esperança de que poderia fazer isso. Depois, esqueci disso por um tempo.

Enquanto eu afundava em chuva e agonia, Lachlan e eu continuávamos a fazer tudo juntos. Visitávamos museus, jantávamos, íamos ao cinema. Ver *O último rei da Escócia* foi como dar mais uma volta no parafuso da minha própria situação desagradável; senti como se estivesse sendo pendurada pela pele, apenas não por Idi Amin, mas pelo bonito escocês. No Guggenheim, numa sexta à noite (quando é grátis), Lachlan ficou com o braço em volta de mim quando subimos e descemos a rampa curva. Comprou para mim o cartão-postal de uma pintura de que eu havia gostado, de macacos jantando, e colocou-a na minha mesa de cabeceira em frente a uma da Anunciação que havia comprado para mim em épocas mais felizes, no Museu de Arte de Filadélfia.

Lachlan usava uma variedade de termos para se referir a si mesmo em relação a mim. Algumas vezes era meu "namorado", às vezes, meu "amigo". Quando ele se tornou "o cara que vive em seu apartamento", tive de fazer perguntas.

— Você poderia, por favor, explicar o nosso relacionamento? — perguntei num sábado de manhã depois do jogo do Hibs.

Estávamos sentados na sala, onde ele pôs os braços em volta de mim e disse:

— Temos uma amizade calorosa.

Eu o afastei. Para que eu precisava de uma amizade calorosa? Eu tinha mais amigos do que podia dar conta e, certamente, não cuidava de suas carreiras.

Chorei todos os dias depois daquela conversa. Conversamos sobre ele encontrar outro lugar para passar suas últimas semanas, mas eu não podia suportar a ideia de ele partir. Se de um jeito ou de outro eu ficaria infeliz, por que incomodar Lachlan também? Era a síndrome de Estocolmo novamente, nenhuma cura à vista, nem planos de seguro-saúde.

Mesmo que a empolgante promessa de nossa união tivesse vida curta (para mim, ao menos; havia bastante promessa restante para ele), eu continuava a achar que tínhamos uma ligação verdadeira e que Lachlan se afastara para que ela não florescesse. "O que é o amor se não for o que temos?", eu argumentava com ele. "Gostamos das mesmas coisas, somos felizes comendo juntos, morando juntos, vendo TV juntos." Eu simplesmente não conseguia desistir da alegria que havia sentido nos poucos primeiros dias juntos e os sentimentos abrigados nas centenas de mensagens que mandamos um para o outro dos dois lados do oceano. Como ele perdera todo desejo por mim? Eu seria nervosa demais, como ele havia sugerido? Deveria tê-lo deixado cozinhar, agir de modo mais desamparado? Mas, então, o quanto a pessoa que está orquestrando a sua carreira pode fingir que é desamparada?

— A única coisa errada com você é que você acha que existe alguma coisa errada com você — disse Lachlan, o que foi bastante perceptivo da parte dele, mas serviu apenas para eu me odiar ainda mais por pensar que algo estava errado comigo e me perguntar se Lachlan me amaria se eu parasse de pensar naquilo.

Lachlan, por outro lado, achava que não havia absolutamente nada errado com ele, uma qualidade realmente admirável.

— Este sou eu, é deste jeito que sou— declarava. — Nunca fui capaz de ter um compromisso com uma mulher, e sou feliz assim.

E a vida itinerante? Ele era feliz com aquilo também.

— Ainda sou eu, ainda sou Lachlan — ele dizia, sem entender por que eu não queria falar com ele. Eu hibernava em meu quarto de dormir e lia Patricia Marx, uma autora que Lachlan descobriu um dia numa livraria do bairro. Folheando o romance *Him Her Him Again the End of Him*, ele achou que havia encontrado sua alma gêmea literária. Fiquei enciumada e imediatamente busquei um exemplar para mim (conheça os teus rivais). Esse romance engraçado sobre uma mulher inteligente que não seria dissuadida de seu amor por um grosseirão abominável serviu como uma boa válvula de escape naqueles dias. Lachlan, por sua vez, viu seu interesse desaparecer à medida que lia. Foi reconfortante saber que eu não era a única mulher pela qual ele rapidamente perdera a atração.

Quando dei para me esconder no meu quarto e sair para jantar sem ele, Lachlan começou a bancar o ofendido. "Sinto como se tivesse perdido uma amiga", disse quando voltei à noite de uma saída com Anne. "Esperei você para tomar sorvete, você comeu sobremesa?" Relaxei um pouco comendo *banana split* da Häagen-Dazs e ouvindo "Behind the Music", de Fleetwood Mac, em VH-1. Depois, Christine McVie cantando "Songbird" me fez chorar novamente.

Talvez tenha sido a minha histeria que estimulou Lachlan a se aventurar fora de casa numa tarde sem me avisar ou aparecer em meu escritório como sempre fazia, até mesmo agora, quando as coisas estavam simplesmente horríveis e ele fingia não ser este o caso. Telefonei para casa para lhe dizer alguma coisa, mas ninguém atendeu o telefone. Sequer por um momento pensei que ele tivesse saído — ele não faria isso mesmo, não tinha para onde ir. Cheguei rapidamente à única conclusão possível: estava morto — o canal da bílis explodira ou aquela descarga elétrica defeituosa em seu coração fizera sua cobrança de uma vez por todas. Ele dormia quando saí para trabalhar — nesse ponto da nossa relação, eu ficava feliz quando ele perdia o café da manhã, dando-me a chance de pegar furtivamente um cigarro e soprar a fumaça pela janela da sala de estar — eu não tinha que verificar se ele estava respirando.

Quando finalmente tive notícias dele, justo quando ia para casa recolher seus restos mortais, fiquei furiosa. "Veja se faz alguma coisa para o jantar!", berrei (engraçado que tenha sido aquilo que me veio à mente como um castigo).

Quando cheguei, ele me serviu esse delicioso *farfalle* com *zucchini* e ovos. "É uma combinação natural", ele me disse. Eu, com certeza, não pensara nisso, mas, de fato, é delicioso. Os ovos dão ao prato uma cremosidade maravilhosa. É outra criação de Lachlan que eu continuo a recriar.

Farfalle com *zucchini* e ovo de Lachlan

2 colheres de sopa de azeite de oliva
½ cebola média picada
2 *zucchini* (abobrinhas italianas) médias (1 verde, 1 amarela)
1 colher de chá de sal
225 gramas de *farfalle*
2 ovos
2 colheres de sopa cheias de queijo parmesão ralado na hora, mais um pouco para servir à mesa
Pimenta moída na hora
¼ de xícara de salsinha picada

Numa frigideira média aqueça o azeite de oliva em fogo médio, depois acrescente a cebola picada e cozinhe até que fique opaca, de 3 a 4 minutos. Fatie o *zucchini* em rodelas de 1,5cm, depois cada rodela em quatro; junte o *zucchini* e o sal às cebolas e cozinhe até que estejam macias, 15 a 20 minutos.

Enquanto isso, cozinhe o *farfalle* segundo as instruções para massa na página 31. Bata os ovos e junte o parmesão; ponha de lado. Quando a massa estiver cozida, escorra, junte a mistura com o *zucchini*. Tire do fogo, junte os ovos e deixe que cozinhem na massa quente. Sirva em pratos aquecidos guarnecidos com pimenta moída na hora e a salsinha picada. Passe mais queijo à mesa.

Dá para dois, com sobras.

Algumas semanas antes da partida de Lachlan, A AGENTE finalmente me informou que ia pegar o livro dele. Foi tudo agridoce para mim, embora eu fingisse estar muito animada e, de certa forma, estava animada por ter sido brilhantemente bem-sucedida em minha incumbência louca. Coloquei ao alcance de Lachlan uma situação que qualquer escritor mataria para conseguir. Fiz com que me levasse para um "jantar de celebração" num restaurante italiano local que eu vinha elogiando exageradamente para ele, um lugar caseiro e moderno como o que tínhamos falado em abrir em dias mais felizes. Lachlan não ficou impressionado com o *tortelloni* ou a *tagliata*. "A sua comida é muito melhor", ele disse. Claro que é — a minha é grátis.

A AGENTE conseguiu uma rodada de encontros de Lachlan com um punhado de editoras interessadas. Ela imaginava que poderia conseguir 50 mil dólares pelo livro, um número que Lachlan e eu estávamos imaginando o tempo todo. Eu tinha a intenção de ver o livro vendido e ele no avião — afinal, eu tinha um bocado do meu próprio sangue, suor e lágrimas investidos no projeto. Sim, até considerei levá-lo ao aeroporto, chegando ao ponto de combinar com minha mãe para ela me emprestar o carro. "Você acha que ele parece engraçado?", perguntou minha mãe, que agora enjoara de Lachlan quando eu lhe disse que, afinal, não precisaria dele. Acho que a pergunta dela explica um bocado por que sou tão louca como sou.

Na noite anterior à partida de Lachlan eu estava cheia de justa ira. Caminhei até o Dean & Lucca para comprar comida para sua última refeição, resmungando para mim mesma como estava enjoada e cansada dele e como estava feliz por não ter mais que fazer seu maldito jantar outra vez e imagi-

Três editoras estavam dispostas a fazer ofertas pelo livro de Lachlan no dia de seu voo de volta para a Itália, onde ele poderia viver à custa de mais alguém antes de decidir seu próximo passo. A AGENTE instruiu a todos para que entregassem suas propostas até o meio-dia. Naquela manhã fui ao enterro do meu tio. Não éramos próximos, então não foi um acontecimento tão devastador; mesmo assim, acrescentou emoção ao choro bíblico que eu já estava sentindo. Lachlan fazia as malas quando voltei.

— E então? — perguntei.

— A Random House ofereceu 110 mil dólares — ele disse.

Agora, além da perda de um amor, de um parente, havia uma sensação de ter sido roubada de tudo que jamais possuí. Sentei no chão no batente da porta do meu quarto, onde Lachlan fazia um rebuliço com as roupas e livros e fumei cigarro atrás de cigarro enquanto tentava de uma vez por todas descobrir por que ele não me amava. Maldição! Se eu podia conseguir para ele 110 mil dólares por um livro sobre um rinoceronte, ele iria me dar uma resposta!

— Isso é dinheiro adulto, você vai crescer agora?

— Talvez eu o use para viver como criança — ele disse petulantemente.

— Fiz isso para que eu e você pudéssemos ficar juntos.

— Eu não amo você — ele disse.

A essas palavras, fui para a cama, onde me mexia como um peixe recém-pescado.

— Não existe ninguém neste mundo pelo qual eu teria feito isso. Não teria feito isso por mim!

— Você não fez tudo — ele disse. — Eu passei dez anos escrevendo esse livro.

Uma pessoa que pudesse ficar num lugar só teria facilmente escrito aquele livro num ano — foi tudo em que pude pensar.

— Quem você ama? Como são as pessoas que você amou? Você amou Sasha [a artista australiana]?

— Acho que sim. — (Esta foi uma reinterpretação da história originalmente contada para mim.)

— Por quê?

— Porque ela possuía um canguru de estimação — brincou Lachlan —, porque tinha sotaque australiano.

— Você me amou em algum momento?

— Fiquei empolgado com você — respondeu.

O que não soava como nada além de: "Fiquei excitado com o que você poderia fazer por mim."

Lachlan queria me levar para almoçar fora, mas eu estava sem apetite (ele não podia acreditar), então requentamos o jantar da véspera. Sentei-me com ele e comi e isso me fez sentir um pouquinho melhor. Sentamo-nos juntos no sofá nos últimos momentos.

— Você nunca sequer pediu desculpas — eu disse.

— Você não me deu espaço para isso.

Era hora de ele partir. Eu soluçava histericamente. Havia lágrimas nos olhos de Lachlan também, e nós nos abraçamos e ele passou pela minha porta pela última vez.

Telefonei para minha mãe, ainda chorando histericamente. Ela chorou também.

Depois telefonei para Ann., que foi calorosa e sensível.

Depois telefonei para Ginia, que tinha de terminar uma matéria, mas eu a vi mais tarde.

Depois fumei mais seis cigarros.

Depois tirei uma soneca.

No dia seguinte, comecei a escrever meu livro.

"O que você quer saber?", ele começava. "Quanto dinheiro ele conseguiu pelo livro ou o quanto partiu meu coração?" Eu imaginei um livro inteiro sobre Lachlan, encerrando com a frase: "Leitor, eles pagaram demais."

Depois pensei: "Por que deixá-lo ficar sozinho com toda a glória?" Mesmo que aquela experiência, a primeira a me deixar de coração partido e me sentindo usada, tenha sido certamente o queijo ralado em cima do espaguete. Escrevi sobre todos eles e continuei a cozinhar.

Eu estava preparando um jantar num domingo à tarde para Larisa e sua família. Enquanto cortava batatas com minha nova faca de chef Wüsthof (comprei um bocado de coisas para o meu apartamento depois que Lachlan partiu, tentando fazer com que parecesse menos o lugar onde ele viveu — mantive Scoopy, mas ele fica em sua gaveta, a menos que esteja trabalhando), fiz um corte profundo no dedo e acabei passando cinco horas na emergência e levando sete pontos. Relutantemente cancelei o jantar (na verdade pensei que poderia ser costurada e voltar a tempo de terminar de cozinhar), e minha frenética mãe veio para cozinhar a comida que deixei espalhada na cozinha. Antes que ela chegasse, mandei Nick, que me levou ao hospital, de volta à minha casa para limpar o sangue das paredes. Matthew ficou comigo enquanto eu estava sendo costurada.

Enquanto estava deitada ali, esperando para ser emendada, pensei no quanto havia sofrido pelo amor de cozinhar e pelo próprio amor, essas duas paixões permutáveis. Meu corpo estava marcado por feridas que representavam ambos — meus braços estavam marcados de queimaduras; meu dedo, cortado; meu coração, partido. Devia haver alguma coisa que a comida pudesse me dar. E havia.

Voltei ao livro. Nunca duvidei de que ele daria certo.

Espero o dia em que possa dizer o mesmo sobre o amor... mas isso é outro livro.

Baci e abbraci a...

Ginia Bellafante, que sonha por mim mesmo quando não estou sonhando sozinha. Sua amizade e influência em todos esses anos enriqueceram minha vida de incontáveis modos.

Jennifer Warren, que me ouve e estimula desde os nossos dias completamente inocentes na faculdade; a generosidade de seu coração é infinita.

Anne Magruder, que foi uma fonte de afeto, inspiração diária e risadas durante toda a redação deste livro e durante muitos anos antes disso.

Frank Bruni, que explicou minha ideia melhor do que eu mesma conseguiria e me levou a torná-la realidade...

Lisa Bankoff, que compartilhou minha alegria com este projeto, tratou-o com o máximo de cuidado e é, melhor que tudo, uma amiga maravilhosa.

Caryn Karmatz Rudy, cujo entusiasmo por este livro foi inabalável e que deu compreensão e inteligência profunda a cada página dele.

Jennifer Romanello, amiga que conheci no trabalho e que se tornou como um membro de minha família, presente em muitas dessas histórias, rindo delas quando eram engraçadas e me ajudando a me livrar delas quando não o eram mais. Como este livro foi feliz por terminar em suas sábias mãos!

Sandy Sislowitz, que mudou minha vida radicalmente com sua visão fenomenal, compaixão profunda e humor abundante.

Corey Seymour, por ser uma professora, uma guia, fonte de apoio, divertimento e sabedoria muito mais do que mereço.

Lucinda Rosenfeld e John Cassidy, por me lembrarem — em muitos jantares de espaguete e almôndegas trocados por sua excelente companhia — de que sou uma cozinheira muito boa.

Meredith Tucker, por ser uma vizinha fantástica, animadora e provadora.

Russell Perreault e Reed Maroc, pela hospitalidade impecável e as incontáveis boas refeições em sua linda casa nas montanhas de Connecticut.

Colegas da *Harper's Magazine*, especialmente Ellen Rosenbush, Jennifer Szalai e Ted Ross — que gentilmente leram a proposta em seus primeiros estágios e ofereceram orientação editorial. Sou privilegiada por estar na companhia de tantas pessoas inteligentes durante tantos anos e sou privilegiada por conservar sua amizade.

Mark Lane, Dennis Corrado, Joel Warden, Anthony Andreassi e James Symon em The Brooklyn Oratory por serem tão perspicazes a respeito de um livro pelo qual terei de me confessar.

Anne Twomey, por desenhar uma capa de livro que capturou exatamente o que eu queria e não fazia ideia de que queria.

Jamie Raab, Emi Battaglia, Martha Otis, Karen Torres, Elly Weisenberg, Amanda Englander, Harvey-Jane Kowal, Sona Vogel, Brad Negbaur e todos da Grand Central Publishing.

Karolina Sutton, Tina Wexler e Elizabeth Perrella, na ICM.

Kenneth Ardito, Maxwell Ardito, Susanna Beacom, Gillian Blake, Bliss Broyard, Carmen D'Aloia, Larisa DePalma, Jeff Edelson, Jonathan Elderfield, Marianne Gillow, Mark Haag, Yuki Hirayama, Hannah Houston, Deborah Kwan, Dante Nicola Melucci, Elizabeth Melucci, Stella Giulia Melucci, Biba Milioto, Deak Nabers, Black Nelson, Alessandro Pugliese, Giulia Rosina Pugliese, Stanislao Pugliese, Maria Ricapito, Joia Speciale, Robert Sullivan, Suzanne Sullivan, Jen Tadaki Catanzariti, Maria Ventura, Elena von Kassel, Angela Voulangas e Jimmy Wallestein.

E, como se todos esses amigos incríveis não fossem o bastante, fui abençoada com duas irmãs e dois irmãos cujo amor e orgulho de mim têm sido sempre palpáveis e inabaláveis: uma vida de agradecimentos a Nancy, Carla, Nicholas e Matthew.

Índice de receitas

A mãe de Mitch é uma carne assada ianque, 165
Arroz com coentro, 305
Bacalhau ortopédico, 115
Batatas asterix fritas, 184
Bem-vindo de volta aos *muffins* de maçã da Grande Maçã, 276
Berinjela à *parmigiana* ineficaz, 195
Berinjela frita, 29
Bolas de *matzo*, 112
Bolinhos de caranguejo Colônia de Maryland, 263
Bolinhos de morango de Marcus, 191
Bolo de carne Dolores Fraser, 43
Bolo de pera para amizades coloridas, 145
Bolo rosa-shocking, 166
Bolos foda-se, 205
Borboletas do primeiro encontro, 130
Broccoli di Rape, 110
Bucatini Amatriciana com tecnologia de compartilhamento de arquivos MP3, 251
Cabelo de anjo com aspargos, 45
Coq au vin calmante, 279
Cozido de lentilha francesa, 101
Espaguete à *carbonara*, 35
Espaguete ao óleo de trufas branco, 192
Espaguete com rúcula e pinhões, 223

Espaguete e almôndegas para prostitutas cozinheiras e aqueles que as amam, 216
Farfalle com *zucchini* e ovo de Lachlan, 302
Fritada frugal, 154
Galinha assada imobiliária, 226
Glacê de uísque e chocolate, 206
Halibute inesquecível, 86
Hambúrger de carne de cordeiro, 190
Jantar de terça-feira à noite, 100
Jantar para impressionar um cavalheiro mais velho, 183
Lasanha da véspera do Dia de Ação de Graças, 284
Linguado incendiário, 293
Linguine com peixinhos amigáveis, 88
Minestrone do meu pai, 54
Molho de tomate simples e massa para dois, 30
Muffins de mirtilo da vovó, 39
Nhoque sem coito, 213
O último jantar de Lachlan, 304
Orzo com tomates-cereja e manjericão, 259
Panquecas sem gosto, 143
Pão de abóbora da manhã seguinte, 95
Pastina, 62
Penne saudável, 82
Pimentões fritos de verão de Carmela Romanello, 257
Porco assado clube da comida, 270
Pudim de Yorkshire, 296
Queijo italiano grelhado para WASPs adolescentes, 150
Repolho chinês com alho, 305
Rigatoni com berinjela de Lachlan, 246
Risoto com corações em camadas intricadas, 97
Rosbife apimentado, 295
Salada de alface romana com laranjas e cebola roxa, 33
Salada de atum da casa de veraneio, 254

Salada de *orzo* com queijo de cabra, 190
Salada de rúcula baby e abacate, 102
Salada de vagem e batata para gringos, 160
Salada que fracassou em produzir uma noite perfeita de Ano-novo, 121
Salmão com manteiga de limão e estragão, 100
Sopa bêbada de Kit, 48
Sopa de galinha, 111
Uma Páscoa para os não crentes, 109
Vitela à milanesa, 32

Este livro foi composto na tipologia
Adobe Jenson Pro, em corpo 12/16, e impresso em
papel off-white 80g/m² no Sistema Cameron da
Divisão Gráfica da Distribuidora Record.